DANIEL G

Der Weihn

Buch

Max hat ein Problem: Wohin mit Kurt, seinem phlegmatischen Deutsch-Drahthaar, dem das Hundeleben einfach zu anstrengend ist, in den Weihnachtsfeiertagen? Denn Max will dem dezemberlichen Nebelnieselgraupel entfliehen und auf die Malediven fliegen. Und zwar ohne Kurt.

Auch Katrin hat ein Problem. Sie will dem alljährlichen Weihnachtsabend mit ihren Eltern entfliehen, denen die Panik, dass ihre einzige Tochter mit dreißig immer noch nicht den Richtigen gefunden hat, ins Gesicht geschrieben steht. Das Inserat von Max, der einen Aufpasser für Kurt sucht, kommt ihr gerade recht. Katrin mag zwar keine Hunde, aber Kurt bringt sie auf eine Idee …

Autor

Daniel Glattauer, 1960 in Wien geboren, wurde durch seine Kolumnen bekannt, die er als Journalist für die Tageszeitung *Der Standard* schrieb. Mit den beiden E-Mail-Romanen »Gut gegen Nordwind« und »Alle sieben Wellen« gelangen Glattauer zwei Bestseller, die auf der ganzen Welt gelesen werden und auch als Hörspiel, Theaterstück und Hörbuch erfolgreich sind.
Weitere Informationen zu Daniel Glattauer unter:
www.daniel-glattauer.com

Mehr von Daniel Glattauer:

Gut gegen Nordwind. Roman
Alle sieben Wellen. Roman
Darum. Roman
Ewig Dein. Roman
Geschenkt. Roman
Die Wunderübung. Eine Komödie
Vier Stern Stunden. Eine Komödie
Die Liebe Geld. Eine Komödie
Theo. Antworten aus dem Kinderzimmer

Daniel Glattauer

Der Weihnachtshund

Roman

GOLDMANN

Penguin Random House Verlagsgruppe FSC® N001967

29. Auflage
Taschenbuchausgabe November 2009

Neumarkter Str. 28, 87673 München
Umschlaggestaltung: UNO Werbeagentur, München
Umschlagillustration: Henrike Wilson
KN · Herstellung: Str.
Satz: DTP Service Apel, Hannover
Druck und Bindung: GGP Media GmbH, Pößneck
Printed in Germany
ISBN: 978-3-442-46762-4

www.goldmann-verlag.de

1. Dezember

Kurt feiert Weihnachten heuer wie üblich daheim. Sein Herrl (ich) sicher nicht. Also nehmt mir bitte den Hund ab. Er ist zutraulich und pflegeleicht. Er ist ein guter Hund.«

Diese Meldung konnte im Internet unter dem Stichwort »Weihnachten« abgerufen werden. »Sein Herrl« war Max. Kurt war ein reinrassiger Deutsch-Drahthaar. Was er gerade machte? Er lag unter seinem Sessel und zählte im Geiste seine Deutsch-Drahthaare. Es war nicht wirklich sein Sessel, nur der Sessel, unter dem er immer lag. Von den zwei Jahren, die Max und Kurt im gemeinsamen Haushalt verbracht hatten, war Kurt etwa eindreiviertel Jahre unter dem Sessel gelegen. Man konnte also beruhigt »sein Sessel« sagen. Wenn sich Kurt irgendetwas verdient hatte, dann diesen Sessel. Allerdings hatte sich der Sessel Kurt nicht verdient. Der Sessel war nämlich im direkten Vergleich der deutlich Lebendigere von beiden.

Max war, sah man von Kurt ab, ein Single. Er war es aus Überzeugung, nicht aus Verlegenheit, er konnte ja nicht sein Leben lang verlegen sein. Max war immerhin bereits 34. Um das gleich einmal abzuklären: Er war nicht schwul. Es wäre zwar nichts dabei gewesen, auch George Michael war schwul, aber Max stand auf Männer ungefähr so sehr wie auf Fensterrahmenputzen oder Leintuchabziehen oder Kurt-auf-die-Beine-Stellen. Max sah es so: Mit Männern konnte man auf fünf Biere gehen, Darts spielen, Harley-Davidson-Maschinen abfeiern und unerreichbaren Oberweiten nachtrauern. Und natürlich über den Job reden. Am ehesten hätte Max im Männerverband unerreichbaren Oberweiten nachgetrauert.

Max mochte Frauen. Sie ihn theoretisch auch. Leider passten sie nicht zusammen. Sie hatten es oft genug miteinander probiert. Max hatte nämlich ein Problem, ein spezifisches, ein eher ungewöhnliches, ein eher sehr außergewöhnliches. (Später!) Und Frauen waren ja nicht alles. Nicht?

Max spürte Weihnachten. Es kam direkt auf ihn zu. Eine erste kräftige Brise Lebkuchen-Punsch-Extrakt aus nordwestlicher Richtung in Form von Nebelnieselgraupel war bereits eingetroffen. Die Großstadt bei null Grad Celsius: zum Einfrieren zu wenig, zum Auftauen zu viel. Die Leute auf der Straße beschleunigten ihren Schritt. Sie dachten garantiert bereits an Geschenkpapier mit Engerlmotiven. Das machte Max Angst.

Wie gesagt, er stand dazu, ein Single zu sein. Das war die ehrlichste Form einer zwischenmenschlichen Beziehung: Max war täglich 24 Stunden zwischen sich. Er war mitunter rührend um sich selbst bemüht. Dies erforderte volle Konzentration und lenkte von unwichtigen Dingen wie Alltag ab. Aber, zugegeben, zu Weihnachten hing er ein bisschen blöd in der Winterluft. Ihm war das eindeutig das falsche Klima für zu viel Vorbereitung auf zu viel Feier für zu wenig Grund dafür. Außerdem hatte er eine nicht therapierbare Sternspritzer-Allergie. Und ein gefährliches Glaskugel-Syndrom. (Er neigte dazu, sie zu zertreten.) Neuerdings machte sich eine heimtückische Fichtennadelunverträglichkeit und eine ausgewachsene Kerzenwachsneurose bemerkbar. Erklangen dann auch noch Weihnachtslieder, schlitterte er in eine tiefe Winterdepression, die sich erst zu Pfingsten langsam wieder auflöste. Deshalb hatte er beschlossen, in diesem Jahr auf die Malediven zu fliegen. Das war zwar so plakativ, dass es schon wieder weh tat. Aber er hatte sich entschieden, Weihnachten unter der prallen Sonne zu leiden. Das vergönnte er seiner Haut, sie schenkte ihm auch nichts. Morgen sollte es übrigens angeblich schneien. Morgen war Sonntag. Entsetzlich. Max hasste Sonntage.

2. Dezember

Draußen schneite es nicht. Es war nur angekündigt worden, damit die Menschen wussten, dass es hätte sein können, damit sie Daunenkapuzenmäntel und Schneeräumgeräte kauften. Drinnen saß Katrin vor dem Computer und surfte. Das schaffte sie stundenlang. Es war ihre Nahtstelle zwischen Tätigkeit und Untätigkeit. Eingabe ohne Eingebung. Träumen ohne Gefühlsduselei. Suchen ohne auf der Suche zu sein. In die Luft starren mit Buchstaben. Gähnen per Tastendruck. Nasenbohren ohne Nase. Und ohne Finger. Genügt es?

Katrin kam aus einfachen Verhältnissen. Ihre Eltern waren verhältnismäßig einfach zu allem gekommen, was sie hatten, inklusive Katrin, ihrem Herzstück. Die Mama, Ernestine »Erni« Schulmeister, hatte den Papa, Rudolf »Rudl« Hofmeister, beim explosionsartigen Ausdruck der Unverträglichkeit einer zu großen Menge Alkohols in Form von Bier erwischt. Das war beim Fest einer freiwilligen Feuerwehr, die sich einmal im Jahr einen Brand selbst legen musste, um wenigstens ein Mal im Jahr einen anderen Brand als den täglichen persönlichen zu löschen. Es gab dort eben zu wenig Häuser in den Dörfern und die waren zu feucht, um zu brennen. »Ist Ihnen schlecht?«, fragte Erni. »Ja«, erwiderte Rudl zwischen zwei Beweisen. Er war ein sehr aufrichtiger Mensch. Danach heirateten sie. Nicht unmittelbar danach, zwei Jahre später. Hätten sie etwas mehr Mut zur Lücke gehabt, würde Katrin Schulmeister-Hofmeister heute Katrin Schulhofmeister heißen. Vielleicht wäre dann alles anders gekommen. Wahrscheinlich nicht.

Vor dreißig Jahren minus 22 Tagen kam Katrin gesund zur Welt. (Exakt am Heiligen Abend würde sie also dreißig.) Damals war die Stadt gerade im Chaos versunken und von der Umwelt abgeschnitten, es hatte ungefähr drei Zentimeter geschneit. Die Schneeräumung versagte, das heißt: Es gab keine. Der zuständige Stadtrat musste zurücktreten, aber er weigerte sich.

Beim Christbaumschmücken hatten Ernis Wehen bezüglich Katrin eingesetzt. Rudl, wie das oft so ist bei werdenden Familienvätern, war im Verkehr stecken geblieben. Selbst ohne Verkehr wäre er stecken geblieben, sein Ford Fiesta hatte Sommerreifen. Kein Problem für Erni. Hausdoktor Sokop von der Dreier-Stiege und Hebamme Alice aus dem Erdgeschoss sorgten für eine Weihnachts-Heimgeburt, wie sie selbst von hartgesottenen Boulevard-Journalisten wegen übertriebener Klischeelastigkeit abgelehnt, also nicht veröffentlicht worden wäre. Als Rudl heimkam, lag Tochter Katrin sozusagen unter dem Christbaum, angeblich lamettabehangen, aber das hatten die ehrgeizigen Urgroßeltern dazuerfunden. Rudls vergoldeter Armreifen für Erni – 1300 Schilling nach zähem Verhandeln – ging an diesem Abend jedenfalls ein wenig unter. Und den Karpfen aß keiner. Wenigstens verschluckte auch keiner eine Gräte.

Logisch, ein Kind, das so zur Welt kam, blieb erstens geschwisterlos (selbst ein gezieltes Osterbaby hätte da nicht mithalten können) und zweitens ein ewiges Wunschkind. Die liebenden Schulmeister-Hofmeisters wünschten sich von Katrin (zum Teil erst im Nachhinein, als es schon eingetroffen war) lange schwarze Haare, große grüne Augen, schöne weiße Zähne, kein Geschrei im Kindergarten, lauter Einser in der Volksschule, keine Pubertät (keine Wimmerln, keinen Poster von Tom Cruise, kein Backstage bei AC/DC und keinen privaten Bongo-Kurs bei »Jim« aus Jamaika, der wusste, worauf es im Leben ankam, auf die Freiheit). Mehr noch: keinen Zungenkuss vor 14, keine Präservativdiskussionen vor 16, keine Schwangerschaft vor 18, ja im Gegenteil: die Matura, möglichst mit Auszeichnung, möglichst mit links. Dann ein Studium, möglichst Medizin. Hier trotzte Katrin erstmals und studierte Maschinenbau, das war aber nur ein Scherz, deshalb brach sie das Studium nach einem halben Semester des Staunens und Bestauntwerdens ab und wurde medizinisch-technische Assistentin der Augenheilkunde. Die Eltern waren glücklich und rehabilitiert. Augen gehörten ja auch irgendwie zur Medizin.

Und nun fehlte praktisch nur noch der Eine, der Schwiegersohn, der Mann für immer, ein fescher, kluger, aus gutem Hause mit gutem Geld, gutem Geschmack und guten Umgangsformen, ein richtiger (»Frau Schulmeister-Hofmeister, ich darf doch Mama sagen, Sie machen den besten Kaffee der«) Welt-Mann. Und das war die Tragödie aus der Sicht der Schulmeister-Hofmeisters: Diesen Mann gab es nicht. Er war weder eingezogen noch eingetroffen noch eingetreten. Katrin stand unmittelbar davor, dreißig Jahre alt zu werden und … nein, man durfte es gar nicht laut denken. Man durfte es niemals aussprechen. Man durfte es dem Goldschatz auch ja nie anmerken lassen. Man durfte es nur ausnahmsweise einmal lautlos hier in dieses Buch hineinschreiben: Katrin – näherte – sich – dem – Dreißigsten – und – hatte – keinen – Mann! Demnach auch kein Kind, keine Familie, kein Reihenhaus mit Garten, kein Gemüsebeet, keinen Schnittlauch, kein Garnichts.

Draußen schneite es wie gesagt nicht. Drinnen surfte

Katrin im Internet und klickte »Weihnachten« an, weil sie gerade daran gedacht hatte, indem sie nur ja nicht daran denken wollte. Da dumpten sich Reisebüros mit Last-Minute-Fluchtmöglichkeiten an die von Weihnachten entferntesten Strände der Welt nieder. Da rieselte der Reisig aus den Offerten der Basare. Da duellierten sich die Krippen-Aussteller: Holz gegen Naturholz gegen Strohdach gegen Perlmutthirten. Da ließ die Gastronomie ihre fetten Gänse aufmarschieren und flehte um rechtzeitige Reservierung. Und da – hoppla. Was wollte der Typ? Seinen Hund anbringen? – Katrin hatte eine Idee.

3. Dezember

Max mochte Montage. Sie begannen gleich in der Früh. Sie kamen zur Sache. Sie forderten heraus. Sie gaben Max das Gefühl, dabei zu sein. Kein Montag ohne Max. Die Sonntage schienen auf ihn verzichten zu können. Die Montage freuten sich auf ihn. Und das beruhte auf Gegenseitigkeit.

Max war weite Strecken dieses Tages erfrischend geschäftlich unterwegs. Es war ein Tag, an dem sogar die Sonne geschienen hätte, wäre nicht eine dichte Nebelwand darunter eingeklemmt gewesen, die sich laut Prognose nur »zögernd auflösen« würde, das bedeutete etwa gegen Mitternacht. Max pendelte in seiner Arbeitszeit zwischen drei Büros, die ihm nicht gehörten, die auch nicht auf ihn warteten, die ihn aber duldeten, weil er dort beruflich tätig sein musste, um Geld zu verdienen, das sahen auch die Büros irgendwie ein. Max war Journalist, im etwas weiteren Sinne dieses Wortes. Er produzierte für die wöchentlich erscheinende »Rätselinsel« die gefürchtete »Max'sche Kreuzworträtselecke«, deren Ausfallsquote unter den Auflösern nach nur drei gemeisterten Worten bei etwa neunzig Prozent lag. Seine Spezialität waren erfundene Abkürzungen. (Zum Beispiel: Xenophonspielerin mit fünf Buchstaben. Richtige Lösung: Xphsp.)

Leider war der Job schlecht (an der Grenze zu gar nicht) bezahlt. Deshalb gestaltete Max im Büro Nummer zwei einer Wiener Bezirkszeitung zusätzlich das tägliche Kino- und Theaterprogramm. Die Kreativität war dabei insofern begrenzt, als Max die Veranstaltungen nicht selbst bestimmen, zeitlich festlegen und auf die Bühnen und Leinwände verteilen konnte. Er schrieb das Programm vielmehr von bestehenden Vorgaben ab. Aber er machte das sehr gewissenhaft. Und es gab niemanden, der daran interessiert zu sein schien, ihm diesen Job bei dieser Bezahlung streitig zu machen.

Max' drittes und entscheidendes berufliches Aufgabengebiet betraf Kurt, seinen reinrassigen Deutsch-Drahthaar. Zumindest theoretisch. Denn in der Praxis betraf Kurt nichts. Er war dagegen immun, von irgendeiner Sache der Welt betroffen zu sein oder zu werden. Max verfasste im Büro Nummer drei für das wöchentlich, wenn auch beinahe unter Ausschluss der Öffentlichkeit erscheinende Tiermagazin »Leben auf vier Pfoten« die Hundekolumne »Treue Augenblicke«, deren Star kein Geringerer, aber auch kein Lebendigerer war als Kurt. An dieser Stelle muss zurückgeblendet werden, denn »Treue Augenblicke« hatte einen ziemlich tragischen Hintergrund.

Es war gut zwei Jahre her, als die Medien des Landes dahinterkamen, was die Leser und Seher des Landes tatsächlich am Geschmacksnerv ihres Interesses packt: Hundegeschichten. Schluss mit der Tagespolitik, dem Phrasen-Friedhof der Einfallslosen, dem Foyer der ständig schleimenden, um Wählerstimmen heischenden Mandatare und ihrer schwitzenden und geschwätzigen Reporter. Die Leute wollen wissen, was wirklich in der Welt passiert. Startkollision am Nürburgring. Sexskandal im Vatikan. Achtzig Prozent der griechischen Schafhirten sind olivensüchtig. Verona Feldbusch kauft ein Wörterbuch. – Das sind Meldungen, das sind Themen, das sind Schlagzeilen.

Und was noch viel wichtiger ist: Leser wollen unterhalten werden. Und zwar gut. Am besten köstlich. Und bitte ohne Kindergeschrei, das hat man ohnehin daheim (oder braucht es selbst dort nicht). So begann die goldene Ära der Hundegeschichten. Ein Journalist hatte damit angefangen, in einer wöchentlichen Kolumne seinen rosaweißen Zwergpudel Rüdiger zu porträtieren. Tausende Leser wurden süchtig, die Gehsteige und Promenadenwege waren bald voll von rosaweißen Zwergpudeln namens Rüdiger. Eine Rasse, die wegen chronischer Hässlichkeit bereits auszusterben drohte, schüttete unter entzückten Passantenblicken plötzlich die städtischen Laternenmaste zu und düngte Hunderte Hektar Grünland.

Chefredakteure, die nicht schliefen, reagierten sofort. Bald gab es in jeder namhaften Gazette eine prominent platzierte Hundekolumne, zumeist gleich neben dem politischen Leitartikel, um diesen ein wenig aufzulockern. Jede war ein bisschen anders angelegt. Großer Hund, kleiner Hund. Altes Herrl, junges Fraul. Herrl beschreibt Hund. Hund beschreibt Herrl (wobei Herrl für Hund Schreibarbeit verrichtet, da Hund Computer höchstens abschleckt). Fraul spricht wie Hund. Hund studiert Sexualverhalten von Fraul. Beide ziehen über Männer her. Und so weiter.

Das war der Zeitpunkt, als Max, 32, gewerbsmäßiger Studienabbrecher und frisch angelernter Polizeireporter bei der auflagenstarken liberal-konservativen Tageszeitung »Horizonte«, seine große Chance erkannte und nützte. Er mochte zwar keine Hunde. Aber er kaufte Kurt. Denn er sah die Marktlücke: Im Autoren-Rudel der Rüden und Weiberl fehlte ein Tier mit artistischer Begabung, ein begnadeter Hundekörper, der Kunststücke zu Wege bringen konnte, die zu beschreiben Millionen Lesern organisierte Tränenströme in die Augen triebe. Es war Kurt.

Max entdeckte ihn bei einem Pressetermin der Suchtgiftfahnder. Sie präsentierten ihre neuen Waffen im Kampf gegen die südostkolumbianische Drogenmafia. Kurt wurde mitgenommen, um den Medienvertretern zu zeigen, wie ein Hund aussieht, der auf Kokain anspricht. Kurt legte gleichzeitig seine Vorder- und Hinterbeine über Kreuz und bog den Körper wie eine zu leicht gespannte Hängematte zu Boden. Dazu drehte er den Kopf in kleinen konzentrischen Kreisen, als würde er die Nackenmuskulatur trainieren. Sein Maul war weit aufgerissen, die Zunge hing S-förmig heraus, die Augen waren geschlossen. »Er schläft gerade«, meinte der verantwortliche Beamte ernst wie ein Chirurg, um der verheerenden Wirkung von Kokain ein neues erschütterndes Zeugnis auszustellen.

Als Kurt gleich darauf drehpirouettenartig erwachte, als sich die Hälfte seines verknautschten Gesichtes als geöffnete Augen entpuppte, in denen dicke, kaffeebraune Glaswürfel tanzten, und als seine Abertausenden Deutsch-Drahthaare wie unter Strom in alle Richtungen drifteten, wusste Max, dass er ihn haben musste, um über ihn zu schreiben.

Da Kurt ohnehin nur ein Vorzeigemodell und aufgrund des hohen Alters (zwölf Jahre) bereits ein Auslaufmodell war und mit Drogen in Wirklichkeit überhaupt nichts am Hut hatte, erklärte sich die Polizeidirektion nach Wochen des Bettelns und aus Angst vor einer negativen Presse bereit, Kurt an den lästigen Journalisten abzutreten.

In den folgenden Wochen schlief Max zwar nachts nicht, sondern öffnete lieber Wildbeuschel-Dosen und suchte das Balli, um den röhrenden Fremdkörper aus dem Bett zu bekommen, wo dieser für den olympischen Hundezehnkampf zu trainieren schien. Aber seine Kolumne »In den Wind gesabbert« machte ihn nach nur drei Folgen zum »Horizonte«-Star – und Kurt zum berühmtesten Hund des

Landes, noch vor Hofburg-Bullterrier »Ferstl«, jenem des neuen Bundespräsidenten.

Erste Kolumne: »Wie Kurt durch drei Zähne pfeift, um sein Wildbeuschel einzufordern.« Zweite Kolumne (zur Eröffnung der Ballsaison): »Wie Kurt auf drei Beinen Linkswalzer tanzt.« Dritte Kolumne: »Wie sich Kurt in Irish Setter Alma verliebt und ihr mit Rückwärtssalti zu imponieren trachtet.«

Dann passierte etwas Schreckliches. Kurt blieb nach einer Rückwärtssalti-Dreierkombination im Park liegen und rührte sich nicht mehr. Max dachte zunächst an ein neues Kunststück. Doch nach einer Stunde war klar, dass mit dem Hund etwas nicht stimmte. – Nichts stimmte mehr. Er war tot. Es hatte ihm beim Salto den Magen umgedreht. »Er hat nicht gelitten«, schwor der Tierarzt. Max weinte dennoch. Kurt hatte immerhin sein Leben auf den Kopf gestellt.

»Kurt ist tot«, gestand Max tags darauf seinem Chefredakteur. »Nein«, erwiderte der Chef. »Doch«, wusste Max, »es hat ihm den Magen umgedreht, die Kolumne ist gestorben.« »Nein«, erwiderte der Chef. »Es mag ihm den Magen umgedreht haben, aber die Kolumne geht weiter. Die Leser wollen sie. Besorgen Sie sich einen neuen Hund, genau den gleichen, wir zahlen das.« – »Kurt gab es nur einmal, er ist unersetzlich«, widersprach Max kleinlaut und ärgerte sich, gerührt zu sein und gegen Tränen ankämpfen zu müssen. »Hören Sie zu, junger Mann«, sagte der Chef sehr ruhig und legte Max seine Hand auf die Schulter. »Niemand ist unersetzlich, kein Hund und auch kein Kolumnist. Also besorgen Sie sich bitte einen neuen Kurt.« Er hob die Hand von Max' Schulter, um das Gespräch für beendet zu erklären. »Auch ich bin übrigens einer der zahlreichen Liebhaber Ihrer Kolumne«, rief er ihm noch nach.

Drei Tage lang wollte Max kündigen. Am vierten wusste er, dass er auf täglich zehn Briefe, zwanzig Anrufe und dreißig E-Mails Fanpost nicht mehr verzichten wollte. Außerdem war sein Bett zu leer, um nicht schlafen zu können, wie er es bereits gewohnt war; so schlief er schlecht und träumte depressiv. Am fünften Tag suchte er Kurt II. Am sechsten Tag fand er ihn. (Am Abend des sechsten Tages schrieb er für »Horizonte« zum vierten Mal »In den Wind gesabbert«.)

Der Kynologenverband hatte ihm Zugang zum »Verein der Freunde des Deutsch-Drahthaar« verschafft. Schon die Menschen dort ähnelten Kurt I optisch sehr. Bei den Hunden war die Übereinstimmung noch größer: Jeder von ihnen konnte Kurt sein. Fünf Exemplare waren gerade auf »Herrl-Suche«. Zwei schliefen fest, einer döste, einer gähnte. Und einer – auch er schien zunächst zu schlafen und Max glaubte bereits, den »Verein der Freunde des Deutsch-Drahthaar« als Valium-Sekte entlarvt zu haben –, dieser fünfte startete aus flacher Bodenlage senkrecht in die Höhe, biss sich im Flug in den Schwanz und landete offenbar zu seiner eigenen größten Überraschung hellwach auf vier Pfoten, ein Phänomen, von dem er sich minutenlang nicht erholte. »Das ist Mythos, er kommt aus Kreta«, meinte der Züchter. »Nein, das ist Kurt und er kommt zu mir«, entgegnete Max triumphierend.

Die Geschichte nähert sich ihrer zweiten Tragödie. Kurt II alias Mythos und von nun an für immer Kurt war am Tag des Erwerbs von einer Biene gestochen worden. Der steile Sprung war sein erster und letzter, ein einmaliges Kunststück, sein einziges kräftiges Lebenszeichen. Ab diesem Zeitpunkt bewegte er sich wie Kretas Ureinwohner um zwei Uhr mittags im Juli: nicht.

Die vierte Kolumne »In den Wind gesabbert« schien noch einmal den alten Kurt wachzurufen: »Wie Kurt zum

Himmel steigt und wie ein Komet zur Erde zurückkehrt.« Für Max war das ein wehmütiger Nachruf, für die Leser der vierte Teil einer glanzvollen hundeathletisch-humoristischen Serie. Den fünften Teil – »Wie selbst Kurt einmal zur Ruhe kommt« – verzieh man ihm gerade noch; jeder Kolumnist hat einmal einen Hänger. Nach dem sechsten Teil – »Wie Kurt mit geschlossenen Augen von Bungeejumping träumt« – rief ihn der Chef zum ersten Mal zu sich. Nach dem siebenten Teil – »Und Kurt bewegt sich doch« – rief ihn der Chef zum letzten Mal zu sich. Er erklärte ihm, dass Journalismus etwas mit Leben zu tun habe und dass »In den Wind gesabbert, Teil sieben« der letzte in »Horizonte« erschienene Teil gewesen sei. Im selben Atemzug lobte er Max als tüchtigen Polizeireporter.

Max kündigte am gleichen Tag und blieb die nächste Zeit zu Hause. Dort hatte Kurt bereits kampflos den Platz unter seinem Sessel erobert. Sie sprachen nicht viel miteinander. Wenn Max unbedingt Gassi gehen wollte, trottete Kurt eben mit.

Täglich langten drei Fan-E-Mails weniger ein. Nach zwei Wochen schrieb keiner mehr. Nach drei Wochen erhielt Max ein zu diesem Zeitpunkt bereits überraschendes Angebot von »Leben auf vier Pfoten«, dem vermutlich unbekanntesten Tiermagazin der Welt. Dort suchten sie einen Kolumnisten für »Treue Augenblicke«. Sie hatten an Max und Kurt gedacht. Das Herrl sollte wieder seinen lustigen Hund beschreiben. Dafür gebe es auch ein kleines Honorar. Max war gerührt und willigte sofort ein.

Das war vor eineinhalb Jahren. Von diesem Zeitpunkt an beschrieb er jede Woche die Bewegungsabläufe eines regungslosen Deutsch-Drahthaar. Er hatte sich sicherheitshalber noch nie gefragt, warum und für wen er das eigentlich tat. Vermutlich für Franz von Assisi.

Bis Montagnachmittag hatte sich der Nebel nicht aufgelöst. Max war mit »Treue Augenblicke« fertig. Die Folge beschrieb einen Spaziergang mit Kurt im Nieselregen, die mit Abstand größte Aufregung der vergangenen Woche, denn Kurt war einer Pfütze ausgewichen.

Vor dem Verlassen des Büros überflog Max die eingelangten Mitteilungen in seiner Mailbox. Fünf Leser hatten auf sein Weihnachtsangebot, Kurt zu nehmen, reagiert. Vier fragten an, warum Kurt Kurt hieß, ob er den Namen der Hundekolumne »In den Wind gesabbert« verdanke und ob Kurt denn ähnlich ausgeflippt unterwegs sei wie der legendäre Kurt aus »Horizonte«. Die fünfte Meldung lautete: »Ich mag keine Hunde, aber ich glaube, ich würde ihn nehmen. Er muss mich nur halbwegs in Ruhe lassen. Und ich will ihn vorher sehen. Gruß. Katrin.« Diese E-Mail beantwortete Max sofort, denn er hatte das Gefühl, die beiden würden gut miteinander harmonieren. Er schrieb: »Sie können den Hund jederzeit sehen. Sagen Sie mir wann und wo. Wir kommen überall hin. Kurt freut sich schon. Gruß. Max.« Das mit »Kurt freut sich schon« war eine Notlüge.

4. Dezember

In der Nacht hatte es geregnet und der Wind drückte stark gegen das Fensterglas, welches knirschende Geräusche machte, als stünde es knapp davor, in die Brüche zu gehen. Katrin wurde von einem elefantengroßen Hund mit Haifischzähnen gebissen, wachte auf und konnte, obwohl die Schmerzen natürlich gleich weg waren, die restlichen drei Stunden nicht mehr einschlafen. Den Typen mit dem Hund würde sie zu Mittag im Café Melange treffen. Sie hoffte, dass er ihr nichts tun würde – der Hund. Vor Männern fürchtete sie sich weniger.

Ordination war dienstags von 8 bis 12 und von 15 bis 18 Uhr. Katrin kam immer schon ein bisschen früher. Sie ertrug es nicht, wenn Doktor Harrlich vor ihr in der Praxis war. Da empfing er sie stereotyp mit bemüht französischem Akzent mit »Guten Morgen, mein schönes Fräulein, haben Sie gut geschlafen?« und schlich mit seinen schlaffen Händen von hinten an ihren Körper heran, um ihr aus dem Mantel zu helfen, als wollte er Marlon-Brando-mäßig zum »Letzten Tango« antreten. Es wäre übrigens garantiert sein letzter Tango gewesen. Augenarzt Doktor Harrlich war 76 und ordinierte nur noch aus Gewohnheit und Betriebsblindheit. Er sah bereits so schlecht, dass er seine Patienten nicht mehr unterscheiden konnte.

Doktor Harrlich unterschrieb aber immerhin die Krankenscheine. (Den richtigen Platz fand er blind.) Die restliche Arbeit erledigte Katrin – und umgekehrt. Sie war theoretisch medizinisch-technische Assistentin der Augenheilkunde, jedoch praktisch Augenärztin ohne Doktortitel. Ihretwegen kamen die Kunden, ihretwegen musste der Wartesaal vergrößert werden. Achtzig Prozent der Patienten waren Männer. Alle wollten von ihr behandelt werden. Alle wollten, dass sie ihnen in die Augen schaute.

Der Vormittag verging schnell. – Ein Leberleiden, ein beginnender grüner Star, altersbedingte Kurzsichtigkeit, jugendliche Weitsichtigkeit: gleich zwei Dioptrien mehr – armer Bub, war erst 15 Jahre alt und hatte schon Aschenbecher vor den Augen. Sieben weitere Patienten waren gesund und brauchten keine Brillen. Wahrscheinlich hatten sie es vorher ohnehin schon gewusst.

Zehn vor eins wartete Katrin im Café Melange auf den Weihnachtshund, der ja hoffentlich an einer Leine hängen und mit einem ausbruchsicheren Beißkorb ausgestattet sein würde. Die zehn Minuten bis zum vereinbarten Treffzeitpunkt brauchte sie, um Fluchtwege auszukundschaften, für den Fall, dass der Hund an keiner Leine hing und mit keinem ausbruchsicheren Beißkorb ausgestattet war.

Katrin hasste es, allein in einem Kaffeehaus zu sitzen und so zu tun, als würde sie in dem Magazin, mit dem sie ihr Gesichtsfeld abschirmte, auch tatsächlich lesen. Sie hasste es, von Männern angesprochen zu werden, von denen sie nicht angesprochen werden wollte, und nur solche sprachen sie an. Noch mehr hasste sie deren ängstlich-sündige Blick-Kombinationen (Augen-Busen-Beine-Augen-Busen-Busen), die nach ihr verrenkten Hälse, das notgeile Gezwinkere, die lustvoll gehobenen Augenbrauen, die von der Wunschvorstellung geöffneten Münder mit den vorblinzelnden Zungen. Am meisten hasste sie die Vorstellung, dass sich manche der Männer vielleicht sogar einbildeten, sie würde deshalb allein im Kaffeehaus sitzen, um dies erleben zu dürfen.

Als sie 26 war und den Vollzug ihrer vierten gescheiterten Beziehung, jene mit Herwig, hinter sich gebracht hatte, saß sie alleine in einem Kaffeehaus und ließ sich widerstandslos ansprechen. Ihr fehlten die natürlichen Abwehrkräfte. Außerdem wollte sie Herwig dafür bestrafen, dass er so war, wie er war. Außerdem hatte sie schon sechs Monate mit keinem Mann mehr geschlafen. Außerdem hatte sie Lust – zwar nicht unbedingt danach, mit einem Mann zu schlafen, aber nach ganz normalem Sex.

Der Typ hinter den Sonnenbrillen, Georg sollte er heißen (eines der wenigen Worte, die er fehlerfrei und ohne geistigen Kraftaufwand reproduzieren konnte), war einer, den Frauen einen »Adonis« nannten, ein ewiger Tarzan-Statist, potent bis in die Zehenspitzen. Ein Typ, den es eigentlich nur auf Fototapeten geben dürfte. Wegen solcher Männer flogen Garnisonen frustrierter Ehefrauen und Mütter nicht mehr allzu kleiner Kinder jährlich nach Tunesien und ritten auf Kamelen. Manche kamen nie wieder zurück.

Damals war Katrin alles egal. Deshalb beantwortete sie selbst Fragen wie: »Warum bist du allein?«, »Wie lang brauchst du zum Fönen deiner Haare?« oder: »Was machst du sonst noch?« mit wenigen Worten, aber großer Geduld. Schließlich fragte Georg: »Was ist dein Lieblingssport?« – »Bumsen«, erwiderte Katrin (war aber nicht sicher, ob sie das Wort richtig ausgesprochen hatte, ob es nicht »Pumsen«, »Bumbsen« oder noch härter »Pumpsen« hätte heißen müssen). Jedenfalls dachte sie dabei ganz fest und genüsslich an Herwig und hätte viel dafür gegeben, wenn er in dieser Situation hätte dabei sein können. Georg schien mit dieser Antwort zwar nicht gerechnet zu haben, aber sie gefiel ihm offensichtlich. Denn er sagte verschwörerisch grinsend: »Mein Lieblingssport eigentlich auch!« und verlangte die Rechnung.

Katrin bereute es nicht. Immerhin wusste sie bald wieder, wie das am Anfang mit Herwig gewesen war und warum sie es hatte einschlafen lassen. Im Stundenhotel gab es Sekt, Erdnüsse und für jede Stellung eine Couch. Georgs Erregtheit schmeichelte ihr. Und es machte ihr Spaß, einen Mann mit exakt jener Sache glücklich zu machen, die für ihn das größte Glück bedeutete. Sie freute sich mit ihm, dass er bald kam. Sie freute sich für sich, dass er bald ging. Er schaute auf die Uhr und dürfte ebenfalls zufrieden gewesen sein. »Morgen um die gleiche Zeit?«, fragte er beim abschließenden Händeschütteln. »Vielleicht eine Viertelstunde später«, erwiderte Katrin. Sie fand den Gag extrem gut, beherrschte sich aber und unterdrückte ein herausplatzendes Lachen. Das Kaffeehaus war für sie jedenfalls gestorben. Georg sowieso.

Und die Sache mit dem Weihnachtshund wohl ebenfalls. Der Typ hatte bereits zwanzig Minuten Überzeit, das sollte genügen. Katrin hatte den Termin somit zwar erfolglos, aber heil überstanden. Draußen regnete es gefrierend. In der Ordination blühten ihr an diesem Tag noch sieben Patienten. Am Abend konnte sie eventuell mit Freunden ins Kino gehen.

In der verbleibenden Mittagszeit verspürte sie den dringenden Wunsch sich zu belohnen. Zum Glück war es nicht weit zum nächsten italienischen Schuhgeschäft. Die Menschen auf der Straße bildeten gefrierende Regensäulen. Vor der überdachten Punschhütte wand ein Weihnachtsmann seine nasse Mütze aus. Daneben lag ein eingerollter großer Hund an einer Leine. Die Leine war gespannt. Am anderen Ende stemmte sich jemand wie ein Surfer im Tornado dagegen. Es gibt schon verrückte Bilder, dachte Katrin.

5. Dezember

Am Krampusvormittag ging der morgendliche gefrierende Regen in Schneeregen, dieser in Regenschnee und Letztgenannter in Schneeschauer über. Zu Mittag ging der Schneeschauer in Schauer über, der Schauer wenig später in Regenschauer, der Regenschauer in gefrierenden Schneeschauer, dieser in Graupel, der Graupel in Nieselgraupel, welcher via Graupel zu Schneeschauer zurückkehrte. Am späten Nachmittag hörte der Niederschlag auf, und es bildete sich bei um den Gefrierpunkt schwirrenden Temperaturen beständiger Nebel mit einer Obergrenze von ungefähr 11 500 Metern. Darüber schien angeblich die Sonne.

Immerhin erhielt Max eine zweite Chance, die Frau zu treffen, die Anstalten machte, Kurt über Weihnachten zu übernehmen. Auch wenn wenig Hoffnung bestand, dass daraus tatsächlich etwas werden könnte, durfte Max die Chance nicht auslassen. Denn er hatte zwar genügend Freunde zum »täglich Pferdestehlen«, aber keine zum Kurtzweimal-täglich-ins-Freie-Schleifen. Seine Eltern flogen, wie jedes Jahr, über die Feiertage zu den Großeltern nach Helsinki. Die lebten dort, weil es vom Wetter her auch schon egal war. Sie hätten Helsinki jedenfalls nie verlassen, um Weihnachten in Wien zu feiern, nicht wegen der Eltern, nicht wegen Max und schon gar nicht wegen Kurt, den sie nur aus Erzählungen kannten. (Eigentlich nur aus einer Erzählung: Er bewegte sich nicht.)

Max hatte keine Geschwister. Max hatte niemanden, der ihm einen Gefallen schuldig gewesen wäre (außer Kurt).

Tierheime schieden aus, dort würde Kurt einschlafen und nicht mehr aufwachen. (Warum schieden Tierheime eigentlich aus?) Und per Internet hatte sich ebenfalls keine weitere Möglichkeit aufgetan, den Hund anzubringen. Die Leute wollten einzig wissen, warum Kurt Kurt hieß und ob das etwas mit Kurt aus dem legendären »In den Wind gesabbert« in »Horizonte« zu tun hatte.

Noch am Vorabend hatte sich Max mit einer romanverdächtig ausführlichen E-Mail für den geplatzten Termin entschuldigt. »Sie müssen wissen«, hat er der Interessentin geschrieben, »Kurt ist ein eher bequemer Hund. Es gibt Stunden, da geht er nicht gern ins Freie. Gestern Mittag war eine dieser Stunden. Und wenn er nicht gern ins Freie geht, dann geht er nicht ins Freie. Da ist er in sich konsequent. Kurt ist außerdem ein bisschen wasserscheu und gestern hat es geregnet. Deshalb sind wir nicht gekommen. Wir sind zwar von zu Hause weggegangen, aber wir sind nicht angekommen. Das tut uns leid. Das heißt: Mir tut es leid. Aber Kurt ist wirklich ein guter Hund. Und vielleicht wollen Sie sich ihn doch einmal ansehen. Vielleicht morgen. Morgen wird es bestimmt nicht regnen. Morgen geht Kurt sicher gern außer Haus, das heißt: Morgen geht er sicher außer Haus. Wir kommen auch gerne zu Ihnen, wenn Ihnen das lieber ist. Sie müssen uns nur sagen, wann wir wohin kommen sollen. Wir können uns das einteilen. Herzliche Adventgrüße senden Max und Kurt.« – Den letzten Satz korrigierte er und schrieb: »Mit freundlichen Grüßen, Max.«

Die Frau, die den Hund theoretisch übernehmen wollte, hatte am frühen Morgen geantwortet: »Okay. Schauen Sie mit Ihrem Hund beim Augenarzt Doktor Harrlich vorbei. Dort arbeite ich.« Und sie hatte die Adresse angegeben. Und die Uhrzeit: 15 bis 17 Uhr. Und sie hatte angefügt:

»Bitte befestigen Sie Kurt an einer Leine und statten Sie ihn mit einem Beißkorb aus. Patienten könnten sich sonst fürchten.« Und sie hatte hinzugefügt: »Bitte überprüfen Sie den Beißkorb auf mögliche Durchlässigkeit. Es grüßt Sie Katrin.«

Den Vormittag verbrachte Max im Einser-Büro und erstellte die »Max'sche Kreuzworträtselecke«. Um Zeit zu sparen, griff er auf eine Rätselecke vom August des Vorjahres zurück. Abkürzungen waren ja zum Glück zeitlos. Zu Mittag gab er im Zweier-Büro das aktuelle Kinoprogramm ein. Am frühen Nachmittag besorgte er einen Beißkorb. Eigentlich hätte er Kurt gern dabeigehabt, wegen der Größe. Aber es schneite leider und regnete.

Exakt zwei Minuten vor fünf hatte er die Tür der Ordination des Augenarztes Doktor Harrlich erreicht. Es hatte buchstäblich in letzter Sekunde sowohl zu regnen als auch zu schneien aufgehört. Max fühlte sich psychisch angeknackst und auch physisch schwer gezeichnet. Stufensteigen mit Kurt hieß, jede Stufe fünfmal zu steigen. Der Arzt residierte im zweiten Stock. Kurt fand zwar in jeden Fahrstuhl, aber er verließ kaum einen mehr; Feuerwehreinsätze dieser Art waren erfahrungsgemäß teuer. Jedenfalls lag Kurt, als sich die Tür öffnete, wie durch ein Wunder bei Fuß. Seine müde Medium-Schnauze hing in einem sportlichen XXL-Beißkorb. So verwegen hatte ihn Max noch nie gesehen. Für die nächste Folge von »Treue Augenblicke« bot sich »Als Kurt seinen ersten Beißkorb trug« an.

Katrin erlebte die folgenden Minuten wie eine Szene aus einer Filmkomödie, in der ein verwirrter Außendienstmitarbeiter einer Elektrogerätefirma bei seinem ersten Auftrag einer Kundin einen Staubsauger als Nähmaschine verkaufen wollte und zu Demonstrationszwecken eine Gefriertruhe mitgebracht hatte. Sie öffnete die Türe und fing ein überfallsartiges »Guten Tag, mein Name ist Max und das ist Kurt« ein. Dabei zeigte der junge Mann auf eine dunkelbraune eingerollte Masse zu seinen Füßen, als deren Mittelpunkt das Drahtgestell eines Beißkorbes erkennbar war.

»Kurt beißt niemals«, versicherte der Mann überraschend traurig. »Er ist äußerst gutmütig. Er mag Menschen, er kann es vielleicht nicht so zeigen. Er ist ein bisschen schüchtern. Ihm macht auch das Wetter zu schaffen. Einmal Regen, dann wieder Schnee, dann wieder Schneeregen. Für so einen Hund ist das eine ständige Umstellung. Kurt ist nämlich sehr sensibel und reagiert ...«

»Und ich heiße Katrin«, unterbrach Katrin. »Angenehm«, erwiderte er, ein wenig irritiert. »Kommen Sie herein«, sagte sie. Er zögerte, beugte sich zum Haufen Hund hinunter, als müsste er sich dort erst eine Eintrittsgenehmigung erteilen lassen. Dann legte er die Leine nieder und betrat den Warteraum. – »Der Hund kann auch hereinkommen«, sagte Katrin. »Danke, es schadet ihm nicht, vor der Türe zu liegen«, erwiderte der Mann. Katrin hatte das Gefühl, dass er es mit der Zucht ein bisschen übertreibe.

»Wenn ich ihn nehme, dann möchte ich ihn vorher einmal austesten«, sagte Katrin. – »Ehrlich«?, fragte der Besitzer. Er dürfte ein Nervenleiden in der rechten Schulter haben, bemerkte Katrin. »Wie oft muss er tagsüber gehen?«, fragte sie. »Zweimal, aber ...« Er zögerte. »Was aber?«, fragte Katrin. »Aber er kann es sich nicht merken«, erwiderte der junge Mann. – »Und schläft er in der Nacht?« – »Jaaa!«, rief der Besitzer und ballte die Fäuste wie ein Tennisstar, der sich wieder ins Spiel gebracht hatte. »Und was frisst er?« – »Jeden Abend zwei große Dosen Wildbeuschel«, erwiderte der junge Mann. »Er hat es gern, wenn man ihm die Schüssel unter die Schnauze legt.« Sein Herrl hatte gepflegte Zähne und seine Augen dürften gesund sein, sie konnten sogar lachen, bemerkte Katrin.

»Und was spielt er gern?« – »Verstecken«, erwiderte der Mann nach längerer Nachdenkpause. »Und ›Blinde Kuh‹, die Kuh ist immer der Mensch.« – Er hatte einen seltsamen Humor. – »Und woran muss man sonst noch denken, wenn man ihn hat?« – »Am besten an gar nichts«, entgegnete der Besitzer. »Man darf ihn nur nicht vergessen.« – »Klingt ziemlich einfach«, sagte Katrin. »Ja, er ist ein guter Hund«, antwortete der Mann nervös. »Ich werde mir die Sache überlegen und gebe Ihnen in den nächsten Tagen Bescheid«, sagte Katrin. »Das wäre fein«, erwiderte der Hundebesitzer. »Und ich würde ihn gern einmal auf den Beinen sehen«, sagte Katrin. – »Sicher«, sagte der Mann und lächelte bitter. Dann verabschiedete er sich. Der eingerollte Haufen vor der Tür hatte sich keinen Millimeter verschoben. »Er ist ein guter Hund«, wiederholte der Mann und zog kräftig an der Leine. Er hatte leicht abstehende Ohren – der Mann. Vom Hund hatte Katrin keinen Eindruck. Das war der beste Eindruck, den sie sich hatte vorstellen können.

6. Dezember

In der Nacht zum Nikolaustag hatte es geschneit und der Schnee war liegen geblieben. Kurt ebenfalls. Der Schnee würde laut Prognose zu Mittag bereits geschmolzen sein. Kurt nicht.

Max war müde. Er hatte nicht einschlafen können, weil er sich zu sehr bemüht hatte, an nichts zu denken. Dabei war sein Gehirn wachgerüttelt worden. In der Früh, als das Gehirn endlich einsah, dass Schlaf notwendig war, setzten draußen die Schneeschaufeln ein. Und ihnen war völlig egal, ob Max schlief oder nicht. Davor hatte er noch einen Albtraum untergebracht. Er hatte versucht, Katrin, die junge Frau, die ihm den Hund über die Weihnachtsfeiertage vermutlich nicht abnahm, zu küssen. Dabei war ihm schlecht geworden. Er hatte sich mit dem Ausdruck des Bedauerns von ihr abwenden müssen.

Der Traum hatte Geschichte. Er verfolgte ihn seit seiner Kindheit. Max kannte ihn in gut hundert Variationen. Das heißt: Der Traum selbst variierte nicht, nur die weiblichen Darsteller, früher Schulmädchen, dann reifere Teenies, danach erwachsene Frauen, darunter all seine Liebschaften und all seine »Frauen fürs Leben«, die es allesamt nicht geworden waren. Wann immer Max einer Frau begegnete, die ihm gefiel, die er begehrenswert fand oder in die er sich gar zu verlieben drohte, träumte er, dass er versuchte sie zu küssen und dass ihm dabei schlecht wurde. Träumte er es intensiv, musste er sich tatsächlich übergeben. (Bei Katrin wurde der Traum dank der Schneeschaufeln nicht intensiv.)

Was die Handlung betraf, war Max bereits abgebrüht. Der Albtraum selbst konnte ihn nicht mehr erschüttern. Schon viel eher der Umstand, dass Max dabei die Wahrheit träumte. Aber damit lebte er nun auch bereits seit 25 Jahren.

Weil Buben auch immer die wahnwitzigsten Mutproben benötigen, um in den Sommerferien nicht an Langeweile zu sterben! – Max war damals neun. Seine Bande, die »Dreckigen Totenkopfpiraten«, hatte bereits alle Feinde in den umliegenden Gemeindebauten vernichtet. Die Verlierer traten automatisch den »Dreckigen Totenkopfpiraten« bei. Das war für die jeweiligen Besiegten zwar erfreulich demütigend, hatte aber den Nachteil, dass die Feinde langsam ausstarben.

Am Höhepunkt der feindlosen Fadesse beschlossen die »Dreckigen Totenkopfpiraten«, die fette Sissi zu kidnappen. Die fette Sissi war acht Jahre alt und mindestens dreimal dicker als ein Mädchen, von dem man gemeinhin sagen würde, es sei dick. Ihr Gesicht bestand aus fünf übereinandergewölbten Schichten reinen Schweinefetts. Ihre Augen waren im Speck versunken und sahen nur noch das Notwendigste: Essen. Ihr Mund war ein (vermutlich mit Sonnenblumenöl gefülltes) Schlauchboot. An den Mundrändern klebten Reste gut gelagerter Eierspeisen. Aus dem Inneren roch es ungefähr nach einem Gemisch aus Leberwurst mit Zwiebelsenf und Hering mit Knoblauch. Genau konnte es keiner sagen, niemand wagte sich nah genug an die fette Sissi heran.

Der Plan war leichter als die Durchführung. Schließlich überwältigten die fünf tapfersten »Dreckigen Totenkopfpiraten« die fette Sissi, die gerade eine Kümmelbratensemmel in Arbeit hatte, mit drei zusammengebundenen Zeltplanen, packten sie sorgsam ein und schafften sie ins Hauptquartier. Sissi selbst, und das irritierte die Piraten ein bisschen, fand die Aktion aufregend und war schon gespannt, was man sich mit ihr einfallen lassen würde; hoffentlich ließe man sie nicht hungern. Max selbst war es, der auf die Idee mit dem ZK (Zungenkuss) kam. Heute würde er sich dafür am liebsten die Zunge abschneiden. Die »Dreckigen Totenkopfpiraten« fanden die Idee, Sissi zu küssen, genial und wussten, dass dies der Saisonhöhepunkt sein würde. Max hatte natürlich nicht an sich selbst, sondern an einen besonders üblen Feind gedacht, den man auf diese schreckliche Weise grausam foltern könnte. Aber wie gesagt: Feinde gab es keine mehr. Und plötzlich waren sich alle einig, dass Max die ideale Besetzung für einen Zwangs-ZK mit der fetten Sissi wäre. Denn er war der mit Abstand hübscheste, zarteste und sauberste »Dreckige Totenkopfpirat«. Er war der Ästhet unter ihnen, der Schöngeist, der Intellektuelle, das Totenkopfpiratenhirn. Bei ihm war der Kontrast zur fetten Sissi und somit auch die Vorfreude der Gruppe auf einen gemeinsam zu erlebenden ZK am größten.

Zwei Stunden weigerte sich Max beharrlich. Dann hatten sie ihn so weit. Sie wollten ihn im Falle der Verweigerung nicht nur für Lebzeiten aus der Bande ausschließen. Sie drohten, in der Schule Plakate mit der Botschaft auszuhängen, dass er, Max, jeden zweiten Tag in die Hose mache und dass er in die Frau Lehrerin Obermaier mit den Spinnenhänden verknallt sei. Also überwand sich Max und schickte sich an, die fette Sissi zu küssen.

Er schloss die Augen ganz fest und zwang sich, an Milchrahmstrudel mit Vanillesauce zu denken. Plötzlich spürte er, wie sich eine gallertige Masse üblen Geschmacks um seine Zunge legte, wie aus Speichelsekreten lauwarme verfaulte Leberwurst-Hering-Extrakte traten und sich fettfaserartig in seinem Mund verteilten. Da riss er die Augen auf, blickte in süchtige Schweinsaugen und sah das volle Ausmaß der Katastrophe. Die fette Sissi hatte ihr Schlauchboot an seinem Mund festgesaugt und schickte sich an, mit kräftigen Saugbewegungen sein gesamtes schmales Gesicht zu verschlingen. Dabei strich sie mit ihrer Zunge gierig über Nase, Augen und Schläfen, landete dann wieder bei seinem Mund und stieß noch einmal kräftig hinein. Die »Bravo-Max-der-Küsser-König-der-Max-der-kann's-der-Max-der-hat's«-Rufe im Hintergrund wurden immer schriller, ehe sie halluzinatorische Klangfarben entwickelten.

Max verlor das Bewusstsein und kippte auf die fette Sissi, fiel also wenigstens weich. Als er zu sich kam, lag er im Spital der »Barmherzigen Schwester Elisabeth«. Die Ärzte diagnostizierten eine »bösartige Fleisch- oder Fischvergiftung«. Erst nach einer Woche konnte er in häusliche Pflege entlassen werden. Die Darmflora brauchte drei Jahre, um sich wieder aufzubauen. Nach weiteren fünf Jahren konnte Max erstmals Fleisch- und Fischspeisen zu sich nehmen, ohne sie postwendend von sich zu geben. »Milchrahmstrudel mit Vanillesauce« probierte er nie wieder.

Die »Dreckigen Totenkopfpiraten« hatten sich nach diesem Vorfall aufgelöst und gingen in die Kirche, um zu beten und zu beichten. Sissi soll in der Zwischenzeit hundert Kilo abgenommen haben, dürfte also eine mollige Frau geworden sein. Max konnte seit damals an keinen Zungenkuss denken, ohne Übelkeit zu verspüren. Er konnte verliebt sein, sosehr er wollte. Er konnte erregt sein, so stark er wollte. Es konnte die Situation danach schreien, so laut sie wollte. – Max konnte nicht küssen.

Einmal hatte er es probiert. Er war 18 und stand knapp vor der Matura. Sie hieß Finni, ging in die Sechste, war sicher das selbstbewussteste und wahrscheinlich das schönste Mädchen der Schule, hatte kurze blonde Haare und trug die engsten T-Shirts, die ein Mädchen damals tragen konnte, ohne gar keine zu tragen. Seit Wochen wurde Max mit dem Gerücht konfrontiert, Finni aus der Sechsten hätte ein Auge auf ihn geworfen. Schon die Formulierung des Gerüchts brachte ihn aus der Fassung und ließ sein Herz heftig klopfen. Denn ein von Finni geworfenes Auge galt in Liebhaberkreisen als unerschwinglich wertvoll. Und Finnis Liebhaberkreise umfassten die gesamte Oberstufe, hundert fiebrig pubertierende Schulbuben, in deren Köpfen sich täglich tausend unerfüllbare Finni-Phantasien regten. Nur ein Bruchteil davon war jugendfrei.

Max hätte nie gewagt, Finni anzusprechen, schon gar nicht in der Hofpause, vor all den hormonschubträchtigen Mitschülern. Finni war es, die plötzlich neben ihm stand und fragte: »Wie heißt du?« – »Er heißt Max«, sagte Schwätzer Günter, der hervorgeprescht war, um aus Max' Sekundenlähmung Kapital zu schlagen. Aber Finni sah nur ihn. Und wie sie ihn ansah! Ihre Blicke kamen von unten (Finni war fast zwei Köpfe kleiner als er) und wurden aus faszinierend klaren Augen auf die Reise geschickt. Sie spannten einen hohen Bogen, streiften sanft über seinen Nasenrücken, hoben ab, stiegen neuerlich an, streichelten seine Augenbrauen, krümmten sich und legten sich in steilem Winkel von oben in seine Augenbetten, hintergruben diese zart und landeten auf dem Seeweg der Augenflüssigkeit in seinem Kleinhirn, wo sie bald sehr viel Platz einnahmen. In der Literatur nennt man solche Blicke zumeist »verführerisch«, »fesselnd« oder »verzehrend«. Aber das sind plumpe Untertreibungen. Max war sofort verliebt.

»Bist du schüchtern?«, fragte Finni. »Ich weiß nicht«, erwiderte Max. (Wegen dieser Antwort wälzte er sich eine Nacht lang unruhig im Bett.) Die Mitschüler grinsten stupide und boxten einander stumpf auf die Schultern. »Gehst du gern ins Kino?«, fragte Finni. Bei »Kino« ging sie mit ihrer überraschend tiefen, fast heiseren Stimme hoch hinauf und warf ihm drei ihrer Blicke gleichzeitig zu, wobei sie auch noch den Kopf leicht verdrehte, wodurch die Blicke einen zusätzlichen Seitwärtsdrall bekamen. In Finnis Wort »Kino« steckte bereits das volle Programm an sexuellen Wunschvorstellungen eines 18-Jährigen.

»Ja, wenn es einen guten Film spielt«, erwiderte Max, diesmal mit etwas mehr Stimme. Die Antwort fand er den Umständen entsprechend gar nicht so schlecht. Vielleicht klang sie ein bisschen zu vernünftig. »Gehst du mit mir?«, fragte Finni. Der Satz elektrisierte ihn. Hatte sie »ins Kino« absichtlich weggelassen? – »Ja, gern«, erwiderte Max bemüht nebensächlich. Beinahe hätte er »Wenn es einen guten Film spielt« angefügt. Das hätte er sich nachher nie verziehen.

»Morgen Abend?«, fragte Finni. Langsam gewöhnte er sich an die knappen Intervalle der Weltsensationen. »Na sicher«, sagte er und versuchte ihr locker zuzuzwinkern. Zum Glück hatte sie es nicht bemerkt. Man einigte sich auf 7 Uhr vor dem neuen Kinocenter. Zur Verabschiedung nickte sie aufwühlend und peitschte ihm noch eine letzte Blickserie ins Gesicht. Danach wurde er von seinen Mitschülern mit Boxschlägen und animalischem Gegröle als Frauenheld gefeiert.

Beim Treffen trug Finni das engste ihrer zu engen T-Shirts. Sie war leicht geschminkt, roch nach Walderdbeeren und sagte, sie hätte keine Lust auf Kino. Bei ihr daheim gäbe es Bier, ihre Eltern seien aufs Land gefahren, sie hätten die Wohnung also für sich allein, später würden ein paar Freunde und Freundinnen dazukommen. Aber erst sehr viel später.

Max war so verliebt, dass er sich widerstandslos zu ihr heimtreiben ließ. Er hatte keine Zeit zu überlegen, ob er verantworten konnte, dass er machen wollte, was er sogleich machen würde. Er sah das gelbe Sofa, die vorbereitete Kerze, die Decke. Sekunden später saß Finni auf ihm, schlang ihre Arme um seinen Hals und streichelte seinen Nacken. Ihre Augen waren nur noch ein paar Zentimeter von seinen entfernt und schleuderten ihm in Zehntelsekundenabständen erotisierende Blicke entgegen.

Sie legte ihre Handinnenflächen auf seine Wangen und zog sein Gesicht sanft zu ihrem Mund. »Mach die Augen zu, du Süßer«, war das Letzte, was er von ihr hörte. Dann vermischten sich die schrecklichsten Gerüche der Kindheit und bildeten einen Brei, den er aus der Tiefe seines Magens langsam hochsteigen spürte. – Milchrahmstrudel mit Knoblauch, Leberwurst mit Hering, Vanillesauce mit Zwiebelsenf, Küchenmeisterin Sissi wünschte guten Appetit! – Gerade noch rechtzeitig konnte er seine Zunge von jener Finnis lösen, ihren Mund verlassen und seinen Kopf zur Seite drehen.

Nachdem sie das Sofa notdürftig gereinigt hatten, schlug er vor, nach Hause zu gehen. Finni fiel spontan auch nichts Besseres ein. »Was war los?«, fragte sie bei der Wohnungstür rau und brach ihren Blick auf halbem Weg zu ihm ab. »Mir graust vor Küssen«, erwiderte Max mit weinerlicher Stimme. Finni kniff ihre Augen wie eine Wildkatze zusammen und warf die Tür hinter ihm zu. Noch im Stiegenhaus hatte er das Gefühl, den schlimmsten Satz gesagt zu haben, den man einem Mädchen am Höhepunkt des Verliebtseins und am Beginn des so innig ersehnten Austausches von Zärtlichkeiten sagen konnte. Und das Allerschlimmste daran: Es war die Wahrheit und sie würde es immer bleiben.

Heute, mit 34, wusste Max, dass Liebe ohne Küssen nicht funktionierte. Somit wusste er auch, dass Liebe bei ihm niemals funktionieren konnte. Das war insofern bedauerlich, als Max gern und stark liebte. Er verliebte sich rasch, heftig und leidenschaftlich. Er konnte sich in Liebe hineinfallen lassen und darin aufgehen, konnte Gefühle zeigen, konnte darüber sprechen, konnte schmeicheln und schwärmen. Er konnte garantiert auch treu sein, wenn er sollte. (Das musste er noch nie beweisen.) Er war befähigt und bereit, einer Frau, die er liebte, alles zu geben. Nur keinen Kuss.

Natürlich hatte er in den vergangenen 16 Jahren alles ausprobiert, um länger als einen Abend lieben zu dürfen, ohne küssen zu müssen. Grob gesprochen gab es für ihn zwei Möglichkeiten, dem Zungenkuss zu entkommen: Entweder er blieb darunter oder er fing gleich darüber an.

Das »Darunter« erwies sich für ihn stets als quälend unbefriedigend. Er brauchte dabei nur an die schrecklichen Nächte mit Pia zu denken, einer Kleopatra-ähnlichen Kunstgeschichtestudentin, die er auf der Uni kennen gelernt hatte. Er probierte damals gerade Jus aus – und arbeitete als Kellner in der Mensa. Schon gegen Ende des ersten gemeinsamen Abends wussten sie, dass der hochgeistige Eröffnungsteil meisterhaft gelungen war, dass sie einander ideologisch blind verstanden, ohne einander genau zugehört zu haben. Dazu waren sie zu betört.

Nun war es also an der Zeit, sich den körperlichen Dingen zuzuwenden. Nur deshalb zwängten sie sich um 3 Uhr früh in die dunkelste Nische der Bar und bewegten zu Tom Waits ihre mit Wein befeuchteten Lippen. Näher zusammenrücken konnten sie nicht mehr. Und jeder Satz, den ihm Pia liebestrunken ins Ohr hauchte – egal ob »Die Picasso-Ausstellung soll großartig sein«, »Ich mag dieses Lokal« oder »Am Wochenende muss ich meine Großmutter besuchen« –, hieß bereits: »Küss mich doch endlich!« Aber Max blieb eisern »darunter«. Er hauchte ihr laszive Antworten ins Gesicht. (»Ja, Picasso war schon einer der Größten«, »Ja, dieses Lokal hat einfach Flair« oder: »Ich muss meine Großmutter am Wochenende zum Glück nicht besuchen, sie lebt in Helsinki.«) Dazu setzte er den wehmütigsten aller »Gib-mir-noch-Zeit-ich-muss-erst-zu-mir-finden!«-Blicke auf. Sie erweiterte ihre dunklen Augen auf doppelte Kleopatra-Größe, führte ihre Zungenspitze wie eine Haiflosse über ihre Oberlippe und meinte damit: »Zehn Sekunden gebe ich dir noch.« Er ging grausam leidend über die volle Distanz, ließ dann seinen Kopf hängen und starrte ihr verstohlen und sehnsüchtig auf den Busen.

Abende, die derart qualvoll unerfüllt endeten, mussten selbstverständlich mehrmals wiederholt werden. Sie wurden von Mal zu Mal unerträglicher. Der Zeitpunkt, zu dem zwingend geküsst werden musste, kam immer früher. In der Verzweiflung, dass nichts geschah, war die Beziehung bald symbiotisch. Man sprach, voll des intimen Weltschmerzes, von der Rodung der Regenwälder, dem Wechsel der Gezeiten und der Bedeutung Giottos für die italienische Malerei des 14. Jahrhunderts. Die letzten Sätze solcher Abende lauteten zumeist: »Was ist eigentlich los mit dir, Max?« (Pia.) »Ich mache gerade eine schwierige Phase durch.« (Max.) Dann gab es noch einen weggeworfenen Abschiedskuss auf eine der vier Wangen. Und am nächsten Abend trafen sie einander wieder und litten weiter unter ihrer unbegründeten Enthaltsamkeit.

Irgendwann im Verlaufe einer wortlos gewordenen

Nacht hielt es Max nicht mehr aus und sagte: »Pia, mir reicht es, ich will mit dir schlafen!« Daraufhin sprang sie vom Sitz, beugte sich über den Tisch und drückte mit frei werdenden Kräften 180-stündiger aufgestauter Begierde seinen Kopf an ihre Brust. Dort ließ sie ihn leider nicht verweilen. Sie fasste den Kopf vielmehr an den Schläfen und hob ihn zu ihrem hinauf. Als ihr Mund nur noch ein paar Millimeter von seinem entfernt war, riss sich Max von ihr los und protestierte wie ein trotziges Kind, dem man Reis statt Pommes vorgesetzt hatte: »Ich will dich nicht küssen, ich will mit dir schlafen!« – Das war das Kapitel Pia.

Bei Patrizia ging Max die Sache von vornherein klüger, nämlich »darüber« an. Sie arbeitete als Anzeigenverkäuferin in »Horizonte« und genoss dort den Ruf, den »One-Night-Stand« erfunden beziehungsweise auf »One-Night-Double-Stands« ausbaufähig gemacht zu haben. Sie lernte Männer nicht kennen, indem sie sich bei ihnen vorstellte, sondern indem sie mit ihnen Sex hatte. Reden konnte man nachher immer noch.

Patrizia wählte sich ihre Liebschaften nach strengen Prinzipien körperlicher Hygiene, modischen Bewusstseins, charismatischer Unerschrockenheit und beruflichen Erfolges aus. Sie konnte es sich leisten zu wählen. Es war eine der höchsten Ehren der Männer in »Horizonte«, von Patrizia genommen worden zu sein. Für manche Herren war das, laut eigenen Angaben, der Höhepunkt ihres Sexuallebens überhaupt.

Max verdankte seine Nominierung Kurt, besser gesagt Kurt I, als er noch lebte und turnte. Patrizia liebte »In den Wind gesabbert« und lud Max nach Erscheinen der dritten Kolumne spontan zu sich ein: Danach gebe es noch ein mehrgängiges Menü, versprach sie, um den Anreiz zu verdoppeln und um Max zu zeigen, dass er an diesem Abend der Einzige bleiben sollte.

Die sexuellen Details hatte Max später nicht mehr in Erinnerung. Sie wurden Opfer der Verdrängung aufgrund eines wenig später eintretenden grauenvollen Ereignisses. Jedenfalls ging es zunächst wild und stürmisch her, die nackten Körperteile flogen durcheinander und überschlugen sich. Und Patrizias Zunge war lange Zeit erfreulich weit von seinem Mund entfernt. Aber dann verfing er sich in dieser unsäglichen, weltweit maßlos überschätzten Missionarsstellung und fühlte sich plötzlich wie eine Stabbatterie unter Hochspannung: unten zunehmend positiv geladen. Oben, auf Kopfhöhe, bereits bedrohlich negativ. Denn die heftig rüttelnde, bebende und stöhnende Patrizia presste plötzlich ihre Lippen auf seinen Mund und öffnete diesen mit harter Zunge.

Max' Ausbrüche kamen gleichzeitig. Der gellende »Jaaaaa-Neeeein« Schrei galt beiden seiner entladenen Pole. »Bist du gekommen?«, fragte Patrizia routinemäßig. »Zweimal«, röchelte Max wahrheitsgetreu, wobei ihm ein dritter Schub gerade im Hals steckte. Er musste sofort das Badezimmer aufsuchen und verließ es erst eine Stunde später wieder. Inzwischen überlegte er, wie er die ihm bevorstehende Frage, warum ihm auf einmal schlecht geworden sei, beantworten könnte. »Warum hast du dich gleichzeitig angespieben?«, fragte Patrizia angewidert. »Törnt dich das etwa an?« – »Aber nein, ich muss nur an etwas Schlechtes gedacht haben«, erwiderte Max. – Das war das Kapitel Patrizia.

Max waren noch einige andere zwischenmenschliche Erlebnisse dieser Art vergönnt, ehe er dahinterkam, sie sich künftig allesamt sparen zu können. Denn die Erfahrung lehrte ihn: Gelebte Liebe war ohne beinahe alles möglich – ohne Sex und Leidenschaft, ohne Freundschaft und Interesse, ohne Zweck und Sinn, ohne Geld und Achtung, selbst ohne Zukunft. Nur nicht ohne Zungenkuss.

Somit handelte er seine potenziellen weiteren Kapitel in Albträumen ab – und konzentrierte sich lieber auf das Wesentliche. Im vorliegenden Fall: auf seine organisierte Flucht vor Weihnachten, der schlimmsten Zeit für einen latent Liebenden, der nicht küssen konnte.

Am trüben Tag der Nikoläuse mied er die drei Büros. Er blieb daheim und lud aus dem Computer achtzig Seiten Information über die Malediven herunter. Hin und wieder warf er Kurt, der unter seinem Sessel lag und das Treiben seines Herrls apathisch beobachtete, hochmütige Blicke zu. Hin und wieder untermauerte er diese mit Worten wie: »Ich fliege weg, und du bleibst da!« – Kurt strafte ihn mit seiner größten Stärke, der Ignoranz.

7. Dezember

Der Tag startete mit einer guten und einem Konzentrat von schlechten Eigenschaften. Die gute: Es war Freitag und freitags hatte Katrin niemals Ordination. Vor zwei Jahren war sie knapp vor der Kündigung gestanden. Sie sagte: »Herr Doktor Harrlich, wenn ich fulltimemäßig als Augenärztin arbeite, dann möchte ich bitte nicht wie eine Hilfsassistentin im Probemonat bezahlt werden.« – »Schönes junges Fräulein«, erwiderte der Arzt ergriffen, »fulltimemäßig ist ein entsetzlicher Ausdruck. Ich will nicht, dass Sie solche amerikanisiert eingedeutschten Modewörter in meiner Ordination verwenden.« Damit schien das Gespräch für ihn betrüblich zu Ende gegangen zu sein.

Nicht aber für Katrin. Sie wiederholte ihren Satz (und ersetzte »fulltimemäßig« durch »voll beansprucht und ausgelastet«). Daraufhin wurde Doktor Harrlich sehr ernst und sagte: »Ich glaube, Sie sind überarbeitet. Nehmen Sie sich den Freitag frei. Nehmen Sie sich den Freitag von nun an immer frei und lassen Sie mir bitte das Geld.« Er hob seine dicken Brillen ab, rieb sich die feuchten (beinahe blinden) Augen, schleckte melancholisch am Brillenbügel und setzte mit gebrochener Stimme zu einem Nachwort an: »Sie sind jung und schön, gnädiges Fräulein, also nützen Sie Ihre Freiheit. Ich bin alt, bei mir zählt nur noch das Geld.« – Beinahe hätte Katrin um eine Gehaltsreduzierung gebeten.

Der Freitag war also frei wie immer. Dafür war der Ausläufer einer Kaltfront eingetroffen. Was »Kaltfront« bedeutete, war allgemein bekannt. »Ausläufer« hieß, dass die Kaltfront eine Art Spähtrupp vorgeschickt hatte. Dieser kundschaftete die Landschaft aus und berichtete der Kaltfront: »Hervorragende Gegend. Wir können uns hier bequem ausbreiten. Kommt ruhig nach, nehmt alle mit. Vergesst mir den Hagel nicht.« So eine Kaltfront blieb dann oft wochenlang im Lande. Sie mochte das österreichische Klima, die düsteren Gestalten und die sie umhüllenden Grautöne des Winters. Sie mochte, wenn es weihnachtete.

Es war jedenfalls kein Freitag, an dem Katrin ihre Wohnung (also Bett und Internet) verlassen hätte, um sich dem Ausläufer einer Kaltfront zu stellen, wenn es nicht unbedingt notwendig gewesen wäre. Nun, es war unbedingt notwendig: Katrin war bei ihren Eltern eingeladen. Und bei den Eltern eingeladen zu sein, hieß: die Einladung anzunehmen. Eine einzige Ablehnung einer Einladung der Eltern hätte deren 29-jährige Erziehungsarbeit in Frage gestellt. Das Ehepaar Schulmeister-Hofmeister hätte plötzlich nicht mehr gewusst, wozu es (für Katrin) lebte. Sein existenzielles Vakuum wäre noch größer als jenes von Augenarzt Doktor Harrlich gewesen, hätte dieser Katrin eine Gehaltserhöhung zugebilligt.

Die Einladung war schon im Vorfeld trüber Gedanken von außergewöhnlicher Unlust geprägt. Sie enthielt sieben Unannehmlichkeitsgrade (wobei jeder Grad etwa die Stärke von minus zehn Grad Celsius eines Ausläufers einer Kaltfront hatte). Erstens: Die Eltern wollten mit Katrin über Weihnachten reden. Zweitens: Sie wollten mit ihr über den Heiligen Abend reden, welcher identisch mit ihrem Geburtstag war. Drittens: Sie wollten mit ihr über den Heiligen Abend reden, welcher identisch mit nicht irgendeinem, sondern ihrem 30. Geburtstag war. Viertens (Mutter): »Goldschatz, wir wollen dir am Heiligen Abend ein Geburtstagsfest bescheren, das du nie vergessen wirst. Dir soll es an nichts fehlen. Darüber müssen wir uns unterhalten.« Fünftens (Vater): »Maus, wir werden Weihnachten heuer generalstabsmäßig angehen. Wir machen Nägel mit Köpfen. Das wollen wir mit dir besprechen.« Sechstens (Mutter): »Goldschatz, ab dreißig ist man kein Kind mehr. Das ist ein ganz besonderer Tag. Da sollte man beginnen, sich langsam Gedanken über die Zukunft zu machen. Darüber müssen wir uns unterhalten.« Siebentens (Vater): »Maus, deine Mutter macht sich Sorgen um dich. Du weißt, sie liebt dich über alles. Sie will, dass du glücklich bist. Darüber sollten wir reden.« – Diesem elterlichen Granulat an scheinbar unumgänglich zu besprechenden vorweihnachtlichen Betrüblichkeiten stand ein einziger Lichtblick gegenüber. Er verbarg sich in Katrins Antwort auf die Frage (achtens): »Goldschatz, was wünscht du dir eigentlich?« – Ruhe und Abstinenz von daheim, wusste Katrin. Aber wie brachte sie es ihnen bei?

»Mama und Papa, ich muss euch etwas sagen«, sagte Katrin nach einer Stunde, einer Grießnockerlsuppe, einem Rehrücken mit Wildkroketten, aber ohne Preiselbeeren (die waren schimmlig), und dreißig aktuellen Fotos der Familie der Tante Helli, der glücklichsten Tante der Welt. Denn ihre drei Töchter waren nicht nur mutig genug, so auszusehen, wie sie aussahen, und sich trotzdem immer wieder fotografieren zu lassen. Sie waren auch allesamt jünger als Katrin und alle schon verheiratet, mit Männern, die ihnen im Mut, so auszusehen, wie sie aussahen, und sich trotzdem fotografieren zu lassen, um nichts nachstanden. Die Männer waren sogar noch mutiger, dachte Katrin beim Studieren der Fotos.

Jedenfalls kriegten die drei verheirateten Töchter der

Tante Helli im bewussten und gewollten großfamiliären Zusammenwirken und zur restlosen Beglückung der Tante Helli monatlich mindestens ein Kind, manchmal auch Zwillinge. Katrin hatte zwar nicht mitgezählt, sie wusste aber, dass sie die Eltern durchschnittlich dreimal im Monat besuchte und anlässlich jedes dritten Besuches die neuen Fotos der neuen Babys der drei Töchter der Tante Helli zum Mittagessen serviert bekam. Babys, die mutig genug waren, so auszusehen, wie sie aussahen, und sich trotzdem fotografieren ließen. Die Babys waren überhaupt die Mutigsten der gesamten Großfamilie der Tante Helli, dachte Katrin und legte die Bilder zur Seite.

»Ich muss euch etwas sagen«, sagte sie nun, bevor das Thema Weihnachten angeschnitten werden konnte, und legte das »Mohr-im-Hemd«-Besteck zwischen den halben »Mohr« und das dreiviertel »Hemd« auf den Teller: »Ich kann heuer am Heiligen Abend nicht bei euch sein. Ich habe einen ...« – »Dann nimm ihn mit, Maus! Er ist herzlich willkommen, das weißt du doch. Er soll mit uns mitfeiern. Machen wir Nägel mit Köpfen!«, jubilierte der Vater. – »Ist es etwas Ernstes, Goldschatz?«, fragte die Mutter, stützte die Ellbogen auf den Tisch und presste die Fäuste so fest zusammen, dass sich das Gesicht kirschrot verfärbte. – »Ich habe einen Hund«, sagte Katrin kleinlaut. Danach war es zehn Minuten still. Ernestine Schulmeister-Hofmeister faltete die Hände und schien um Vergebung von Sünden zu beten, deren Schwere sie bisher unterschätzt haben musste. Bei Rudolf Schulmeister-Hofmeister erweiterten sich die Pupillen und sein Kopf begann rhythmisch in alle Richtungen zu zucken, als würde er im Geiste die Schlussakkorde einer Tragikouvertüre dirigieren.

»Es ist nicht mein Hund«, sagte Katrin zu einem Zeitpunkt, als es schon eher unwahrscheinlich geworden war, dass jemand noch etwas sagen würde. Der Satz barg wenig Trostpotenzial in sich. Es war so, als hätte Katrin zuvor einen Bankraub eingestanden und würde jetzt verlautbaren: »Es war nur eine kleine Bank.«

Allein schon das Wort »Hund« im Hause Schulmeister-Hofmeister über die Lippen zu bringen, bedeutete unmissverständlich: Hochverrat. Katrin wusste, was ein Vertreter dieser Tierrasse ihrem Vater angetan hatte. Und es war bisher ihre Mindestration an töchterlicher Solidarität gewesen, Hunde ein Leben lang zu verabscheuen und konsequent zu meiden, selbst im Gespräch.

Es gibt Tage, an denen sich die Zukunft entscheidet. Eigentlich entscheidet sie sich jeden Tag. Nein, eigentlich ist es nicht die Zukunft, die sich täglich entscheidet, sondern die Gegenwart. Allenfalls entscheidet sie sich auf Kosten der Vergangenheit für die Zukunft. Aber sei es, wie es sei: Der Tag, an dem sich für Rudolf Hofmeister die Zukunft entscheiden sollte, war der 27. Juni. Er war sonnig. Er war warm. Auf ihn hatte der junge Hofmeister seit seiner Handelsschulzeit gewartet.

Katrins Vater verkaufte. Niemals eigene Sachen, er hatte keine. Er verkaufte Dinge, die ihm nicht gehörten, und bekam ein bisschen Geld dafür. Er war (und blieb) Vertreter. Er vertrat alles, was gerade noch vertretbar war: Schuhbänder, Zeitungsständer, Insektensprays, Rumkokosdragees, Seniorenmagazine, Niederdruckventile. Er ging von Tür zu Tür. Die wenigsten öffneten sich. Erwischte er eine Hand, so ließ er sie nicht mehr los.

Wichtig war ihm, dass die Leute sein Gesicht sahen, dann sahen sie auch den Mund und bald auch die Sache darüber. An Rudolf Hofmeisters Oberlippenbart blieben die Blicke wie Fliegen im Spinnennetz hängen. Es war der schmälste, schütterste und leichtgewichtigste Oberlippenbart, vor dem sich jemals eine Tür schwungvoll geöffnet hatte, ohne dass der Bart über die Oberlippe segelnd zu Boden gefallen wäre. Die Leute wussten gleich: Diesem Mann fehlten wertvolle Proteine. Man musste ihm also dringend etwas abkaufen. Leider passierte es viel zu selten, dass jemand seinen Oberlippenbart zu Gesicht bekam.

Die Rhetorik war nur Nebensache. Hofmeister wählte zumeist: »Grüß Sie, Hofmeister. Ich bin hier, um Ihnen eine Minute Ihres Lebens zu stehlen.« – Den meisten stahl er damit nur ein paar Sekunden. Aber das war eben der Beruf.

Der Traum des jungen Hofmeisters war es, mit einem Schlag reich zu werden. (Er hatte nie behauptet, dass er sonderlich originell träumte.) Am 27. Juni sollte der Traum in Erfüllung gehen. Hofmeister stand unmittelbar davor, 1800 vollautomatische Wäschetrockner der Firma »Wetnix« zu verkaufen. Es fehlte nur noch die Unterschrift des Geschäftsführers des großen Waschmaschinenerzeugers »Multoclean«.

Zur Technik der »Wetnix«-Wäschetrockner ist anzumerken, dass sie nicht ausgereift war. Die Geräte waren doppelt so groß und dreimal so schwer wie Waschmaschinen. Und die Wäsche brauchte etwa dreimal länger um zu trocknen, als hätte man sie im Freien aufgehängt. Bei »Wetnix« selbst rechnete man mit dem Verkauf von jährlich höchstens fünf Stück. Hofmeister waren sechs Prozent des Erlöses für jeden verkauften Trockner zugesichert worden. »Wetnix« hatte zuvor ein halbes Jahr vergeblich nach einem Vertreter gesucht.

Wie er es anstellte, »Multoclean« 1800 Stück zu verkaufen? Nun, es war ihm gelungen, den Blick eines kleinen Mitarbeiters auf seinen Oberlippenbart zu lenken. Bis sich der Blick löste, brachte er folgende Sätze unter: »Grüß Sie, Hofmeister. Ich bin hier, um Ihnen eine Minute Ihres Lebens zu stehlen. Wäsche waschen können alle. Wäsche trocknen können wir. Ohne Wetnix geht nix! Nehmen Sie uns dazu. Machen Sie Nägel mit Köpfen!« Der Mitarbeiter hörte sich das an und meinte, er werde seinem Chef vorschlagen, ein Gerät probeweise zu mieten.

Am nächsten Tag rief der Chef persönlich bei Hofmeister an und fragte: »Sie haben Wäschetrockner?« – »Nein, ich vertrete Sie nur«, antwortete Hofmeister. »Funktionieren sie?«, fragte der Chef. »Ich würde nie ein Produkt vertreten, das nicht funktioniert«, log Hofmeister. »Gut, wir kaufen 2000 Geräte.« – »So viele haben wir nicht«, sagte Hofmeister panisch und verlor vor Aufregung mindestens drei Barthaare, also etwa ein Zehntel des gesamten Bestandes. »Gut, dann 1800 Stück!«, erwiderte der Chef. »Morgen unterschreibe ich. Kommen Sie zu mir. Bringen Sie einen Trockner mit. Ziehen Sie Ihr bestes Sonntagsgewand an. Wir drehen einen Live-Werbespot. Wir werden die Konkurrenz schockieren. Da wird kein Auge trocken bleiben.« – »Sehr fein, machen wir Nägel mit Köpfen!«, schloss der junge Hofmeister. Nach dem Telefonat wurde er bewusstlos vor Glück.

Der nächste Tag war besagter 27. Juni, an dem sich für ihn die Zukunft entscheiden sollte. Bei »Wetnix« kühlte man den Sekt. Der Vorzeige-Trockner war geliefert. (Die restlichen 1799 Geräte würde man in den nächsten Wochen schon irgendwie produzieren.) Der junge Hofmeister selbst hatte sich vom prominentesten Herrenausstatter taubengrau einkleiden lassen. Zur Unterschrift vor laufender Kamera fehlten nur noch zehn Minuten. Das »Multoclean«-Gebäude war erreicht. Hofmeister nahm auf einer Parkbank davor Platz und übte im Geiste den Händedruck eines Millionärs. Dazu stieß er immer wieder kraftvolle »Jawohl«-Rufe aus und klopfte sich dabei bekräftigend auf die Oberschenkel. Das dürfte der Hund, der plötzlich aus dem Gebüsch aufgetaucht war, missverstanden haben. Er glaubte, er solle Platz nehmen.

Als es zu spät war, lag er wie ein schwarz lackiertes Kugelgebüsch auf Hofmeisters Schoß und streckte eines seiner Hinterbeine von sich. Hofmeister reagierte sofort, sprang auf und schleuderte den Hund wie einen (schwarz lackierten, buschigen) Medizinball mit der Hüfte ins Jenseits des grünen Rasens. Der dunkelgraue nasse Fleck auf der Hose blieb als Andenken an diese kurze Begegnung zurück. Er war medizinballgroß und lief zudem die Hosenbeine bis zu den Knöcheln hinunter. Das letzte Mal, als Hofmeister so ausgesehen hatte, war er sieben Jahre alt gewesen und hatte sich weitere sieben Jahre dafür geniert. Damals war er allerdings nicht zwei Minuten vor dem Augenblick gestanden, an dem sich für ihn die Zukunft entscheiden sollte.

Die Zukunft entschied sich innerhalb von wenigen Sekunden. Hofmeister betrat »Multoclean«, wurde von einem hektischen Herrn im schwarzen Sakko begrüßt und an der Hand in einen hell erleuchteten Nebenraum geführt. Der Mann klatschte dreimal in die Hände und sagte: »Kinder, nehmt die Plätze ein, in drei Minuten sind wir auf Sendung.« – »Ein Problem noch«, meldete sich Hofmeister mit krächzender Stimme, »ich benötige dringend eine trockene Hose.« Nun sahen sie es alle gleichzeitig und jeder wusste: Er hatte Recht. Aber nur einer reagierte, der Wichtigste – und zwar so zornig, dass Hofmeister spontan fünf Barthaare verlor. Die insgesamt dreizehn Schreie des »Multoclean«-Chefs bildeten eine Art rhetorische Frage. Sie lautete: »Dieser – Mann – hier – in – der – angebrunzten – Hose – will – mir – allen – Ernstes – Wäschetrockner – verkaufen?«

Danach setzte hysterisches Gelächter ein. Antwort fiel keine mehr. Der TV-Spot wurde abgeblasen, das Geschäft war geplatzt. Die nächsten dreißig Nächte träumte Hofmeister von Hunden. In guten Träumen schaffte er bis zu fünfzig Ritualmorde.

»Es ist nicht mein Hund«, wiederholte Katrin nach einer weiteren Verarbeitungspause. Die Mutter hatte ihre Stirn in zwölf Falten gelegt. (Man konnte sie leicht zählen, denn die Entfaltung trat meist erst nach mehreren Stunden ein. Zwölf Falten schaffte die Mutter selten. Auf über 15 kam sie nur bei vermeintlichen Schwiegersöhnen, mit denen Katrin gerade Schluss gemacht hatte.) »Warum?«, fragte der Vater Katrin beinahe stimmlos. Er meinte damit weder: »Warum ist es nicht dein Hund?« noch »Warum hast du zu Weihnachten einen Hund?« Er meinte eher allgemein: »Warum gibt es Hunde?«, im Sinne von »Warum zerstören sie unser Leben?« Katrin antwortete: »Ich hab ihn nur über die Weihnachtsfeiertage. Es ist ein Notfall.« – »Wem gehört er?«, fragte die Mutter und glättete von innen die beiden äußersten der zwölf Falten. »Einem alten Freund von mir«, erwiderte Katrin. »Er muss dringend verreisen.« – Wie heißt er?«, fragte die Mutter. »Der Hund?«, fragte Katrin. »Der alte Freund«, erwiderte die Mutter. (Bei »alte« tauchten die beiden äußeren Falten wieder auf.) »Max«, sagte Katrin gleichgültig, »ein alter Studienkollege«. – »Von einem Max hast du nie erzählt«, behauptete die Mutter. »Hab ich nicht?«, fragte Katrin. »Nein«, wusste die Mutter. »Ist er verheiratet?« – »Keine Ahnung«, sagte Katrin, gähnte, schaute auf die Uhr und musste noch dringende Einkäufe erledigen. – »Wegen Weihnachten reden wir noch, Goldschatz«, drohte die Mutter. »Warum nur, Maus?«, fragte der Vater.

8. Dezember

Warum scheiden Tierheime eigentlich aus?«, fragte sich Max am Samstagvormittag, als es schneite, ohne dass er davon erfuhr. Er hatte die Jalousien heruntergelassen, um nicht an Weihnachtseinkäufe denken zu müssen. Es war der »zweite lange Einkaufssamstag«. Wer klug war, kaufte jetzt. Da alle klug waren, kauften alle jetzt. Max hatte die Jalousien heruntergelassen, um ungestört nicht so klug zu sein wie alle anderen.

Warum schieden Tierheime also eigentlich aus? »Tierheim?«, fragte er Kurt, der unter seinem Sessel lag und schlief. Da Kurt nicht reagierte, war es ihm offensichtlich egal ob Tierheim oder nicht. Und langsam war es Max ebenfalls egal, es hatte sogar seine Vorteile. Für »Treue Augenblicke« würde dies eine dramatische Serie unter dem Motto »Wie Kurt im Halbschlaf zwei Wochen Tierheim überlebte« abwerfen. Und vielleicht wäre Kurt danach abgehärtet genug, wenigstens ein Mal täglich freiwillig Gassi mitzugehen.

Was Max und Weihnachten und die Malediven betraf, war die Entscheidung gefallen. Er hatte eine ideale Insel gefunden (und per Internet gebucht). Es war die einzige Insel, die seine finanziellen Grenzen zwar aufzeigte und aufweichte, aber nicht sprengte. Und dort war noch Platz für ihn frei. Das heißt: Dort war Platz ausschließlich für ihn frei. Es gab exakt eine Not-Unterkunft mit einem Not-Bett. (Alle redeten vom Single-Urlaub, Max würde ihn machen.) Einsam? Aber nein! Tagsüber würde er ohnehin von

Tauchern umgeben sein, und er selbst würde ebenfalls einen Tauchkurs absolvieren. (Die Rechnung würde er seinen Großeltern nach Helsinki schicken.)

Vielleicht würde er unterhalb des Meeresspiegels eine Frau kennen lernen – nichts Ernstes natürlich, einfach nur eine Urlaubsbekanntschaft. Sie könnten sich unter Wasser umarmen und einige Dinge mehr tun. (Sauerstoff würden sie ja wohl genug dabeihaben.) Max hätte diesbezüglich keine Hemmungen. Es hätte jeder sein eigenes Mundstück, die Tauchgefährtin wäre oral ausgelastet und käme gar nicht auf dumme Gedanken. So könnte also nichts passieren, man könnte der gemeinsamen Phantasie freien Lauf lassen und man müsste sich danach nicht einmal duschen. Und wenn sich die Taucherin unter Wasser einmal in ihn verliebt hatte, dann könnte er sie ja bitten, ob sie so nett wäre, den Schnorchel auch an Land im Munde zu behalten. Dann würde er ihr sein Zimmer zeigen, sie könnten die Nacht miteinander verbringen, die Insel gehörte praktisch ihnen beiden. Sie würden dann gleich dort bleiben und eine eigene Tauchbasis errichten – mit Schnorcheltragepflicht auch an Land. Kurzum: Max freute sich auf den Urlaub.

Aber zunächst musste er einmal Kurt anbringen. »Tierheim« war nicht nur seine einzige, sondern eigentlich auch eine verdammt gute Idee, dachte er. Vielleicht würde er nach dem Urlaub auch vergessen haben, dass er einen Hund gehabt hatte – und ihn unabsichtlich einfach nicht mehr abholen. Kurt würde sich sowieso nicht mehr an sein Herrl erinnern, er wüsste gar nicht, in welchem Zusammenhang er sich an ihn erinnern sollte. Und beide könnten ein neues Leben beginnen. Er, Max, würde sich einen Goldfisch zulegen. Er würde eine eigene Goldfisch-Kolumne in einer renommierten Zeitung bekommen. »Verschwommene Augenblicke« würde sie heißen. »Einzigartig«, würden die internationalen Kritiker jubeln, »dieser Mann versteht es, einen scheinbar beschäftigungslosen Zierfisch lebendig, lebenslustig, frisch von der Fischleber weg zu beschreiben, minutiös genau in all seinen Tagesabläufen, als tickte unter seinen Kiemen ein Schweizer Präzisionsuhrwerk, und zugleich einfühlsam, mit noch nie gelesener Süßwasserpsychologie. Wer von Trixi, dem Goldfisch, erfährt, wird sich in ihn verlieben. Und Millionen Leser wissen plötzlich, dass auch in einem noch so kleinen Lebewesen eine Seele baumelt ...«

Und Kurt würden sie im Tierheim zum Hundevertreter wählen und er würde eine eigene politische Partei anführen, die Schlafpartei. Forderungen: weniger Essen, weniger Gassi, weniger Menschen, mehr Fernsehen, mehr Frieden, mehr Ruhe. Und irgendwann würden sie einander auf der Straße begegnen, Kurt und er. Sie würden einander wiedererkennen und liebevoll zuzwinkern, denn sie wollten die Zeit, die sie gemeinsam verbracht hatten, plötzlich nicht mehr missen. Sie würden denken, dass sie damals eben noch zu jung füreinander gewesen seien und dass sie ihren Weg alleine hatten gehen müssen. »Du bist ein aufgewecktes Bürschchen geworden«, würde Max Kurt anerkennend zurufen. Und Kurt würde freudig bellen. – Nein, das würde er nicht tun; übertreiben würde er es nicht. Aber »Tierheim« war eigentlich eine sensationell gute Idee, dachte Max, als das Telefon läutete. Es war Katrin, die junge Augenärztin, die Frau, die er unlängst im Traum küssen musste, die Frau, die Kurt nicht nehmen würde, weil man Kurt nicht nehmen konnte, weil Kurt unannehmlich und unannehmbar war. »Ich nehme ihn«, sagte sie. »Wann kann ich ihn ausprobieren? Vielleicht gleich morgen?« – »Ja, das könnten wir uns einrichten«, erwiderte Max. Besser als Tierheim, dachte er.

Katrins Plan war einfach. Was heißt überhaupt Plan? Sie brauchte einen Grund, warum sie den Weihnachtsabend nicht bei ihren Eltern verbringen konnte. Und ihr fiel kein besserer Grund als ein Hund ein. Also musste sie ihn haben – diesen Kurt. Natürlich könnte sie auch nur so tun, als hätte sie ihn. (Wie sollten es die Eltern überprüfen?) – Aber das war nicht die Lösung. Katrin brauchte den Hund, den Grund, den Heiligen Abend nicht bei ihren Eltern zu verbringen, vor allem für sich selbst. Denn hund- und grundlos würde sie wahrscheinlich doch wieder zu ihren Eltern gehen. Wohin sonst? Es gab doch an diesem beschissenen 24. Dezember, ihrem beschissenen Geburtstag, keine andere Möglichkeit, als »daheim« zu feiern. Und es gab für Katrin beschissenerweise nur ein einziges »Daheim«, und das war bei ihren Eltern. Bei sich selbst daheim, in ihrer Wohnung, war sie eben nicht daheim. Das heißt: 364 Tage im Jahr war sie es und sie fand, sie war auch glücklich dabei. Aber an diesem einen Abend, dem beschissenen 24. Dezember, dem beschissenen Geburtstag, ging es nicht. Dreimal hatte sie es versucht.

Anlässlich ihres 23. Weihnachts-/Geburtstages legte sie sich um sechs nieder, wachte um neun auf und vernichtete eine Flasche Wein, die auf ihrem Nachtkasten stand. Es war ihr Weihnachts-/Geburtstagsgeschenk von Augenarzt Dr. Harrlich. Eigentlich wollte sie die Flasche nur vom Geschenkpapier befreien, um wieder einschlafen zu können. Wein musste ja bekanntlich atmen. Und Katrin ebenfalls. – In Weihnachtspapier gehüllte Flaschen schnürten ihr die Atemwege zu. Es gab für sie kein schärferes Sinnbild der Einsamkeit, als am Heiligen Abend, dem Geburtstag, um 9 Uhr aufzuwachen und die Umrisse einer in Weihnachtspapier gehüllten Weinflasche zu erkennen.

Um diese schon wieder skurril erbärmliche Einsamkeit

wenigstens mit sich selbst teilen zu können, steckte sich Katrin die geöffnete Bouteille in den Mund, kippte ihren Kopf zurück und stellte ihn erst wieder gerade, als die Flasche halb leer war. Danach gelüstete ihr nach weiteren sozialen Kontakten. Deshalb rief sie bei Familie Weiss an und wünschte ihr ein schönes Fest. Diplomingenieur Herbert Weiss war damals ihr Geliebter. Nein, umgekehrt: Katrin war seine Geliebte. Er war zwar 16 Jahre älter als sie, aber er meinte, das tue nichts zur Sache. Und die Sache sei: Katrin war die Frau seines Lebens. Noch nie hatte er mit einem Menschen so gut reden können wie mit Katrin. Noch nie hatte ihn eine Frau so gut verstanden (obwohl sie noch so jung war). Und auch im Bett harmonierten sie großartig, fand er. So großartig, dass er sogar in den Mittagspausen zu ihr kam, um zu harmonieren. Dabei verzichtete er sogar auf das gute Reden.

Diplomingenieur Weiss war fest entschlossen, seine längst gescheiterte Ehe – seine praktisch schon gescheitert begonnene Ehe – zu beenden, um mit Katrin, der Frau seines Lebens, ein neues Leben zu beginnen (das Leben seines Lebens) beziehungsweise das gleiche Leben mit viel mehr Katrin und ganz ohne Ehefrau fortzusetzen. Problematisch war dies eigentlich nur wegen der Kinder. Denn Diplomingenieur Weiss hing sehr an ihnen. Fünf und sieben Jahre waren sie alt und sie hatten große, nach ihrem Papa schreiende Kinderaugen, wusste Katrin aus Erzählungen.

Deshalb wollte er zur Trennung nur noch das Weihnachtsfest abwarten, denn zu Weihnachten waren die nach dem Papa schreienden Kinderaugen erfahrungsgemäß besonders groß. – Es handelte sich übrigens um das Weihnachtsfest vom Vorjahr. Katrin war mittlerweile des Diplomingenieurs Geliebte im zweiten Weihnachtsjahr. Warum er sich nach dem ersten Fest nicht hatte scheiden lassen? – Nun, die nach ihrem Papa schreienden Kinderaugen waren überraschenderweise über Weihnachten hinaus groß geblieben. Dann kam Ostern, dann der Urlaub, dann ging der Kleine erstmals zur Schule. Und dann stand ohnehin schon wieder Weihnachten vor der Tür. Das wollte Diplomingenieur Weiss noch ein allerletztes Mal familiär hinter sich bringen, wegen der Kinderaugen. Danach würde das Leben mit Katrin beginnen.

Sie stand also unmittelbar vor der Beendigung einer einjährigen Wartezeit. Sie wartete dabei eigentlich nicht auf den Diplomingenieur selbst, nur auf das Ende, auf ihn zu warten, denn dieser Zustand war konsequent unerträglich. Ob sie ihn liebte? – Das konnte sie nicht sagen. So gut kannte sie ihn nicht. Warum sie ihn nicht stehen ließ? – Er war noch nicht reif zum Stehengelassenwerden, er stand ja noch gar nicht richtig da. Er stopfte ihr eigentlich nur die Mittagspausen mit seiner horizontalen Art von Harmonie zu.

Nun, sie rief also an und wünschte der Familie ein schönes Weihnachtsfest. Die gescheiterte Frau zur Ehe war am Apparat, im Hintergrund hörte Katrin erstmals jene Kinderstimmen, die zu den großen, nach dem Papa schreienden Kinderaugen gehörten. »Wer sind Sie?«, fragte die gescheiterte Ehefrau überraschend interessiert. »Die Geliebte von ihrem Exmann«, erwiderte Katrin. Das »Geliebte« kam vielleicht etwas vulgär, das »Ex« war inhaltlich ein bisschen übertrieben, aber in ihrem Kopf entfaltete der Flascheninhalt bereits sein volles Bouquet. Die gescheiterte Ehefrau sagte dann nichts mehr. Dafür war Diplomingenieur Weiss plötzlich am Apparat und meinte fünfmal fragend »Hallo?«, ehe er: »Sie müssen sich verwählt haben« von sich gab. Das klang zwar ziemlich distanziert für einen Mann, der gerade mit der Frau seines Lebens sprach. Aber im Grunde hatte er Recht. Katrin legte auf, duschte sich eine Stunde kalt, machte sich einen Kaffee, zog sich an und fuhr zu ihren Eltern. Die wollten sich gerade gemeinsam das Leben nehmen, weil ihr Kind Anstalten gezeigt hatte, am 24. nicht nach Hause zu kommen. Daheim bei den mit dem Schrecken davongekommenen Eltern übernahm Katrin noch rasch ihre Geschenke und schlief sich dann sogleich ihren Weinrausch und ihren einjährigen Weiss-Kater aus. Der Diplomingenieur meldete sich nie wieder.

Zwei Jahre später war es wieder so weit. Katrin war unzweifelhaft in der idealen Verfassung, Weihnachten (und ihren 25. Geburtstag) nicht bei ihren Eltern zu verbringen. Am Telefon erzählte sie ihnen, sie hätte am Vorabend einen Mann kennen gelernt. Heute wollten sie gemeinsam Geburtstag und Weihnachten feiern und übermorgen wollten sie heiraten. (Sie selbst sagte weder »übermorgen« noch »heiraten«, aber die Eltern dachten es bestimmt.) Mama fragte: »Ist es etwas Ernstes, Goldschatz?« Katrins normale Antwort wäre gewesen: »Mama, wir haben uns gestern kennen gelernt«. Aber sie wollte ihrer Mutter keinen zweiten weihnachtlichen Tiefschlag versetzen und meinte: »Es schaut nach etwas Ernstem aus. Deshalb wollen wir heute zu zweit feiern.« Die Mutter weinte am Telefon – aus Trauer, weil Katrin am 24. nicht heimkommen würde, aber auch aus Freude über die bevorstehende Hochzeit, auf die die Schulmeister-Hofmeisters nicht mehr zu hoffen gewagt hatten.

Katrin hatte niemanden kennen gelernt. Und zwar absichtlich. Sie war in einer Phase, in der sie ihr Single-Dasein zelebrierte, als wäre es ein Tage und Wochen füllendes vegetarisches Degustationsmenü. Dabei fühlte sie sich ausgezeichnet. Die Namen ihrer letzten drei männlichen Versuche (um nicht Versuchungen zu sagen) hatte sie vergessen. (Wer konnte ihr das Gegenteil beweisen?) An den Abenden blieb sie daheim und las esoterische Bücher, die sie jede Minute ein Stückchen näher zu sich selbst brachten. Wenn sie sich erreicht hatte, sah sie fern und ging dann früh schlafen, um am nächsten Tag fit für den nächsten Abend zu sein, an dem sie esoterische Bücher lesen, fernsehen und früh schlafen gehen wollte. Ab und zu telefonierte sie mit bemitleidenswürdig in zwischenmenschliche Beziehungen verstrickten Freundinnen und riet ihnen, einmal in sich selbst hineinzuhören. Die Freundinnen hörten aber in der Regel nichts. Die Telefonate wurden immer seltener.

Als erster Höhepunkt dieser erfüllenden Epoche bot sich der Heilige Abend an. Katrin hatte erstmals in ihrem Leben einen Christbaum gekauft und ihn mit roten Holzäpfeln und roten Kerzen geschmückt. Sie hatte Kekse gebacken, Fisch gebraten und Mayonnaise-Salat zubereitet. Sie befand sich in einem derartigen Ausnahmezustand des inneren Glücks und des Eins-Seins mit sich, dass sie sogar mit Erzfeind Bing Crosby Frieden schloss und ihn in den CD-Player schob. (Kein Mann hatte ihr Schlimmeres angetan als er – bestechend pünktlich, alle Jahre wieder, zumeist im Chor mit dem festlichen Geheule ihrer Mutter aus Liebe zur Tochter und Mangel an Schwiegersohn.)

Das Essen schmeckte ihr richtig gut. Es war wunderschön, zu »White Christmas« die brennenden Kerzen der Tanne zu beobachten. Schließlich öffnete sie zur Feier des Lebens eine Pikkoloflasche Sekt und stieß mit sich auf Weihnachten mit sich, auf Geburtstag mit sich und auf sich im Allgemeinen an. Dabei hätte sie sich gerne fotografiert, aber das wäre technisch zu kompliziert gewesen. Nach dem ersten Schluck Sekt sah sie in den Spiegel und bemerkte, dass ihre Mundwinkel erfreulich weit nach oben gezogen waren. Es ging ihr tatsächlich verdammt gut. Es waren ihre schönsten Weihnachten. Sie genügte sich nicht nur, sie war sich mehr als genug. Sie brauchte niemanden. Sie war stolz auf sich.

Nach dem zweiten Schluck fand sie sich neuerlich vor dem Spiegel. An ihren Mundwinkeln hatte sich nichts verändert. Das irritierte sie ein bisschen. Nach dem dritten Schluck blieb sie länger vor dem Spiegel stehen und versuchte, ihre Mundwinkel wenigstens einen Millimeter nach unten zu korrigieren. Es ging nicht. Hoffnungslos. Katrin war einfach zu glücklich.

Einen Schluck trank sie noch. Dann holte sie Bing Crosby aus dem CD-Player und brach ihn in vier Stücke. In zehn Sekunden räumte sie den Baum ab. Dann rannte sie in ihr Schlafzimmer, warf sich auf ihr Bett und verließ es erst eine Stunde später wieder, als es auf dem Kopfpolster keine trockene Stelle mehr gab. Danach schaute sie noch einmal in den Spiegel. Endlich: Die Mundwinkel waren herunten. Katrin ging es beschissen wie noch nie.

Sie musste sofort ihre Wohnung verlassen. Jeder Gegenstand darin kam ihr falsch und verlogen vor, das gesamte Weihnachtsszenario war geheuchelt. Auf der Suche nach der geeigneten Ersatzdroge für ihre plötzliche Verzweiflungssucht rief sie bei den Eltern an und teilte ihnen so sachlich wie möglich mit, dass sie nun doch einen Sprung vorbeikommen würde. »Kommt ihr zu zweit, Goldschatz?«, fragte die Mutter aufgeregt. »Nein, er muss schon schlafen gehen«, erwiderte Katrin genervt. »Ist er schon volljährig?«, fragte die Mutter. Es war 9 Uhr.

Bei den Eltern gab es eine Geburtstagstorte mit 25 Kerzen und Geschenke: einen Walkman für Mini-Discs, drei Esoterik-Bücher, die sie sich in ihrer abgelaufenen Ära gewünscht hatte, und violett-weiße Sportschuhe, Marke: sofort umtauschen. Die Eltern waren glücklich, Katrin doch noch daheim zu haben, wo sie zu Weihnachten nun einmal hingehörte. Fünfmal ging sie aufs Klo, um zu heulen. Sonst blieb sie trocken. Am Ende der Feier glaubten die Schulmeister-Hofmeisters nicht mehr, dass aus der baldigen Hochzeit etwas werden könnte.

Drei Jahre später war Katrin noch immer nicht verheiratet. Sie hatte zwei unter diesem Gesichtspunkt eher mühsame Weihnachts-/Geburtstagsfeste bei ihren Eltern hinter sich und beschloss, noch einmal zu probieren, am Heiligen Abend auf eigene Faust ein Jahr älter zu werden. Den Eltern täuschte sie dringenden Verdacht auf Windpocken vor. Der Arzt hätte ihr strikt verboten, das Bett zu verlassen oder Besuche zu empfangen.

Katrin hatte sich virtuell verliebt. Er hieß Clemens. Einige Wochen zuvor war er aus dem Chatroom in ihre Mailbox getreten. Was ihn von Katrins bisherigen Männern unterschied: Er wollte nichts von ihr und sie musste ihm nichts geben. Jeweils nichts außer E-Mails. Clemens war absolut unaufdringlich. Er trat nicht in Erscheinung. Er schrieb nur.

Seine Texte waren nicht von großer literarischer Originalität. Er erzählte meistens, was er gerade machte. Da er immer gerade schrieb, schrieb er, was er sich dabei dachte. Das klang dann so: »Ich sitze vor dem Computer und überlege, was ich dir schreibe.« – Das fand Katrin nett. Sie selbst erzählte nie, was sie gerade tat. Oh doch, eigentlich schon. Im konkreten Fall antwortete sie: »Was überlegst du dir dabei?« – Und genau das hatte sie sich tatsächlich gerade gefragt.

Der Dialog mit Clemens war ein Ratespiel. Er musste erraten, wer sie war. Er war rührend bemüht, sich ein Bild von ihr zu machen. Sie streute höchstens ein paar versteckte Hinweise ein. Sie konnte ihm nicht alles über sich erzählen. Erstens wäre dann das Spiel beendet gewesen und man hätte miteinander aufhören oder mit dem Ernst beginnen müssen, man hätte also wahrscheinlich ein Treffen vereinbaren müssen. Zweitens war Katrin damals weit davon entfernt, alles über sich selbst zu wissen. Hätte sie es gewusst, hätte sie nicht dagesessen und mit einem fremden Typen, von dem sie lediglich das Alter kannte (35), wochenlang »stille Post« gespielt. Sie wollte auch gar nicht alles über sich wissen. Es war viel spannender zu lesen, was ein Mann von ihr hielt, der sie nicht kannte. Auch Katrin war an jener Katrin interessiert, die sie noch nicht kannte. So lernten sie sie beide neu kennen, und dies auf absolut unverfängliche Weise. So schien es zumindest am Anfang.

Knapp vor Weihnachten hatte sie sich dann plötzlich in ihn verliebt. Er schrieb: »Soll ich dir was sagen?« Sie antwortete: »Ja, warum nicht?« Darauf er: »Du bedeutest mir viel.« Sie: »Ehrlich?« Er: »Ja, ich träume von dir.« Sie: »Hoffentlich gut.« Er: »Wie siehst du eigentlich aus?« Sie: »Ich bin leider potthässlich. Details erspare ich dir.« Er: »Das macht nichts. Egal wie du aussiehst, für mich bist du schön.« Natürlich spürte Katrin, dass das im Grunde ein schlimmer Satz war. Clemens dürfte ihn auch nicht erfunden, sondern schon einmal wo gehört haben. Wäre jemand anderer damit gemeint gewesen, hätte sie die Ansage mit der spontanen Anhebung ihres rechten Nasenflügels quittiert und rasch aus ihrem Gedächtnis nach Hollywood verbannt. Aber die Worte galten diesmal ihr. Sie war gerührt und hatte Herzklopfen. Sie schrieb: »Danke. Das war lieb.« Er antwortete: »Ich habe mich in dich verliebt.« Sie erwiderte: »Das ist schön.« Das »Ebenfalls« behielt sie einstweilen für sich.

Am Vormittag ihres 28. Geburtstages war es dann so weit. Sie schrieb an Clemens: »Ich habe ein kleines Weihnachtsgeschenk für dich. Nichts Besonderes. Ich würde es dir gerne geben. Hast du heute irgendwann zwischendurch kurz Zeit? Es ginge auch spät am Abend. Ich habe nichts vor.« – Als sie ihm diese E-Mail sendete, war ihr, als wäre ihr Magen eine Baustelle und die Arbeiter hätten gerade die Presslufthämmer angeworfen. Sie konnte sich nicht erinnern, jemals so viel aufs Spiel gesetzt zu haben, um einem irrationalen Gefühl von Zuneigung nachzugehen.

Das Geschenk war übrigens ein Büchlein mit E-Mail-Dialogen, eine Art »Best of Katrin and Clemens«. Sie hatte die Mitteilungen von Beginn an aufgehoben und daraus nun in schöner Handschrift eine geraffte Chronologie des Abtastens und Kennenlernens gebastelt. Beim Abschreiben der Sätze, die Clemens an sie gerichtet hatte, verliebte sie sich endgültig besinnungslos in ihn und musste dringend eine Aktion der Annäherung setzen. Am liebsten hätte sie ihn sofort geküsst – am liebsten mit geschlossenen Augen. Sie brauchte nicht zu wissen, wie er aussah, er musste nur physisch anwesend sein. Küssen per E-Mail ging noch nicht.

Die Antwort kam erst am späten Nachmittag. (Bis dahin glaubte sich Katrin auf dem Weg zu einer neuen persönlichen Bestleistung im Verbringen von letztklassigen Weihnachts-/Geburtstagen.) Er schrieb: »Habe jetzt erst deine Mitteilung gelesen und bin halb in Ohnmacht gefallen vor Überraschung und Freude. Natürlich können wir uns treffen. Bin am Abend bei meiner Großmutter. Komme aber gegen neun nach Hause. Maile dir gleich, wenn ich daheim bin.«

Als zehn vor neun seine Nachricht auf Katrins Bildschirm angezeigt wurde, setzten die Arbeiter in ihrem Magen die Bautätigkeit mit schweren Kranwagen fort. Clemens schrieb: »Ich bin schon daheim. Ich könnte in einer halben Stunde bei dir sein.« Darauf sie: »Willst du nicht wissen, wo ich wohne?« Darauf er: »Ich weiß es.« – Schwerer Ausrutscher eines Kranwagenfahrers, beträchtlicher Sachschaden. Katrin schrieb: »WOHER?????« Clemens antwortete: »Wir kennen uns.« – Kranwagenzusammenstoß, wenig Chancen auf Überlebende. Katrin begann Clemens zu hassen und schrieb: »WOHER????????????« – Er erwiderte: »Ich bin aus deiner Filiale. Wenn du reinkommst, sitze ich links am zweiten Schalter. Wir lächeln uns immer an. Am 4. November hast du bei mir 8500 Schilling abgehoben.« – Magendurchbruch, Schaden irreparabel, keine Überlebenden, sofortige Einstellung sämtlicher Bauarbeiten. Sie schrieb: »WIESO WEISST DU DAS?????« – Er antwortete: »Ich bin ein Computerfreak und habe den Code für den anonymen Chatroom geknackt. Dabei hab ich dich entdeckt.«

Katrins letzte E-Mail an Clemens: »Ich will nicht wissen, welches der Bank-Gesichter dort dir gehört. Richte deinem Chef aus, dass ich die Filiale wechseln werde. Dann noch frohe Weihnachten. Und tschüss!«

Eine Stunde später rief die Mutter bei ihr an und wünschte ihr alles Gute zum Geburtstag, alles Gute zu Weihnachten, alles Gute für die Windpocken, alles Gute im Allgemeinen, alles Gute im Speziellen von Papa, und die Geschenke warteten schon auf sie. Katrin hatte gerade eine dicke Schicht Nivea-Creme auf die geschwollenen Augen aufgetragen und sagte, dass es ihr plötzlich so gut gehe, dass der Arzt erlaubt hätte, dass sie das Bett ausnahmsweise verlassen dürfe. Kurzum: Sie würde nach Hause kommen. Und zwar gleich. »Aber Goldschatz, wir wollten gerade schlafen gehen«, sagte die Mutter. Noch besser, dachte Katrin und machte sich fertig.

9. Dezember

Kurt lag unter seinem Sessel und dachte an nichts. Eines seiner kaffeebraunen Glaswürfel-Augen war offen. Er musste es irgendwann in der Nacht irrtümlich aufgemacht und zu schließen vergessen haben. Max war gut aufgelegt und lehnte am Fenster, um das ungewöhnliche sonntagmorgendliche Naturschauspiel zu beobachten. Er schätzte diese Art von Katastrophen. Die Stadt war zwar hoffnungslos zugeschüttet, aber mit sich vollkommen im Reinen. Es hatte 24 Stunden hindurch geschneit. Nun standen früh entschlossene Führerscheinbesitzer mit langstieligem Werkzeug zur Schnee-Umverteilung am Straßenrand und bauten ihren Restalkohol vom Vorabend ab. Jeder schaufelte sein eigenes Fahrzeug aus und dabei gleichzeitig jenes vom jeweils rechten Nachbarn wieder zu. Am Ende war immerhin eines von sieben Autos – das linksäußerste – halbwegs schneefrei. Zumindest für ein paar Minuten. Dann kam der Schneepflug.

Max hatte am Vormittag daheim zu tun. Und das freute ihn. Er hatte sich die Arbeit extra für die Bewältigung des Sonntags aufgehoben. Ihm war ein viertes journalistisches Aufgabengebiet in die Hände gefallen. Über die Seite fünf der »RätselInsel« erstreckte sich allwöchentlich ein Pin-up-Girl. In den ersten Jahren des Magazins hatte es dort lustige Baby-Fotos gegeben. Als man auf Nacktfotos umsattelte, stieg die Auflage um ein Drittel. Als man von lasziven Weichzeichnungen auf klarere Linienführung überging und schärfere Motive aus den ehemals kommunistischen

Staaten Europas verwendete, verdoppelte sich die Auflage. Viele Pensionisten gaben »Schlüsselloch« und »Sexy-Hexy« auf und abonnierten die »RätselInsel«. Denn dieses Magazin war auch daheim herzeigbar, man musste es nicht mühsam vor den Ehefrauen verstecken. Es war nicht einmal verdächtig, dass die Herren die alten Ausgaben der »Rätsel-Insel« plötzlich sammelten und stapelweise aufbewahrten. Sie erklärten ihren Frauen einfach, dass sie noch nicht alle Rätsel gelöst hatten. Selbst wenn sie beim Studium der Seite fünf in flagranti erwischt wurden, konnten sie sich aus der Affäre ziehen. Sie mussten nur den Kopf schütteln und Empörung vortäuschen, etwa mit den Worten: »Frechheit! Man kauft sich eine Rätselzeitung – und dann stößt man auf solche Schweinereien!«

Weil Fleisch nicht ohne Beilage serviert wird, gehörte zu der Nackten auf der Seite fünf unwillkürlich ein Text dazu. Er sollte darüber Auskunft geben, wie das osteuropäische Mädchen hieß oder von Freunden gern genannt wurde, wie alt es war, wovon es träumte, warum es nackt war und was es sonst noch im Leben vorhatte. Diese Texte schrieb Herr Preireif – 15 Jahre lang, jede Woche, jede bis einschließlich der vergangenen. Da starb er. »Herzinfarkt«, hieß es. Man fand ihn über ein Nacktfoto gebeugt. Seine letzten Worte waren schriftlich: »Einmal mit der schönen Priscilla (23) in der Gartenlaube sitzen – davon träumt wohl je ...« Es musste Preireif mitten im Satz erwischt haben. »Dabei war er erst 47«, wussten die schockierten Kollegen. »Er hat sich zu viel zugemutet«, hieß es darauf. »Er hat für seinen Job gelebt«, war man sich einig. »Er hat sich in seine Arbeit hineingekniet«, behaupteten scharfe Beobachter.

Max wurde beauftragt, Preireifs Nachfolge anzutreten. Er war der einzige Junggeselle der »Rätsel-Insel«. (Familienväter, die sich um den Job gerissen hätten, schieden aus moralischen Gründen aus.) Außerdem traute ihm der Chef die notwendige Phantasie zu. Man wusste ja, dass Max wöchentlich einen Hund beschrieb, der weder sich noch irgendwen oder irgendwas bewegte. Da würde er angesichts nackter Schönheiten vor Ideen nur so sprühen.

Pro Bildtext zahlte man ihm 300 Schilling. Wöchentlich wollte ihm die Bildredaktion der »RätselInsel« die Abzüge von fünf bis zehn Nacktfotos nach Hause schicken. Er sollte jeweils eines davon auswählen und dazu einen kurzen Text erfinden. Er musste nur aufpassen, dass er nicht ein und dasselbe Pinup-Girl mehrmals unter verschiedenen Namen verwendete und mit unterschiedlichen Träumen und Zukunftsplänen ausstattete. Das hieß: Er musste sich die Fotos gut anschauen, bevor er darüber schrieb.

Nun lagen die ersten acht Slowakinnen, Polinnen oder blond gefärbten Aserbaidschanerinnen auf seinem Schreibtisch. Nach halbstündigem Gustieren entschied er sich für Foto Nummer drei. Die blonde junge Dame stand an einem Fotostudio-Sandstrand, der echter wirkte als sie. Ihr Gesichtsausdruck war der einer blonden jungen Dame, zu der der Fotograf soeben gesagt haben könnte: »Mit diesem Foto wirst du wahrscheinlich nicht berühmt werden.« Aber sie verfügte über einen herausragenden Körperteil, eigentlich sogar über zwei. Und dazu fiel Max sofort der geeignete Bildtext ein: »Carla (19) hat zwar eine sehr empfindliche Haut, aber sie kann stundenlang barfuß am Strand laufen, ohne sich von der Sonne die Zehen verbrennen zu lassen. ›Ich werfe mir meinen Schatten selbst‹, sagt die Schöne selbstbewusst.«

Als er seine Zeilen zum dritten Mal las, fand er sie eigentlich nicht mehr so gut. Außerdem plagte ihn plötzlich das schlechte Gewissen, sein Honorar zu leicht verdient zu haben. Nicht nur, weil er diesbezüglich von Kurt völlig aus der Übung gebracht worden war, sondern vor allem auch im Vergleich zu Carla, die für ihr Foto sicher nicht mehr kassiert hatte als er. Und die hatte sich ausziehen, herumräkeln und weiß Gott was sonst noch alles machen müssen. Und wenn es Gott nicht wusste, so bestimmt der Fotograf.

Weil Max ohnehin nichts Besseres vorhatte, beschloss er, zu jedem Foto mindestens drei Bildunterschriften zu verfassen. Damit hatte er auch ein gewisses Polster für Zeiten, in denen er die Nackten nicht mehr sehen konnte oder beschreiben wollte. Nein, das Polster hatte er nicht. Denn die Texte waren großteils unbrauchbar. Wahrscheinlich setzte er auch seine »Max'sche Kreuzworträtselecke« aufs Spiel, würde er etwa den Text zu Bild Nummer fünf abliefern, einer diabolisch dreinblickenden jungen Frau, der ein Fußmarsch von Krakau nach Kattowitz in den erstaunlich muskulösen Beinen zu stecken schien. »Olgas größter Wunsch wäre es, Männer dabei zu fotografieren, wie sie ihr Nacktfoto anstarren und sich dabei einen runterholen.«

Bei »Als Kind muss Lesley jede Menge Pfirsichkerne verschluckt haben, denn …« musste Max seine Arbeit unterbrechen. Er hatte nur noch zehn Minuten Zeit, Kurt auf die Beine zu stellen und auf einen Winterspaziergang vorzubereiten. Der Deutsch-Drahthaar stand unmittelbar vor seinem ersten Rendezvous mit einem anderen Menschen als Max. Das heißt: Er lag unmittelbar davor.

Der gelbe Fleck am Eingang zum Esterhazypark war Katrin. Kurt dürfte sie trotz Schneegestöbers schon von weitem als eine Person erkannt haben, bei der er unter Leistungsdruck stand, einen guten Eindruck zu hinterlassen. Er hielt dem Druck nicht stand und zog in die andere Richtung. Er wollte wieder nach Hause. Ihm war kalt. Es war nass. Die Drahthaare heizten nicht ordentlich. Das offenbar zu Dekorationszwecken angelegte Gitter auf der Schnauze nervte schwer. Der Schnee zwickte zwischen den Pfoten und juckte auf dem Fell. Er und Max waren bereits länger als fünf Minuten unterwegs. Sein rechtes hinteres Bein hatte kaum noch Kraft. Er hatte es sekundenlang von sich gestreckt. (Er war ein Rüde. Er musste das so machen.)

Die Übergabe erfolgte ohne Komplikationen. Max drückte Katrin, von der man nichts sah, weil sie in einem gelben Watteballon mit Sehschlitzen steckte, bei ruhendem Hund die Leine in die Hand und sagte: »Sie können ihn ruhig loslassen. Er läuft sicher nicht davon.« Sie vereinbarten einen Hundrückgabezeitpunkt am selben Ort. Bis dahin wollte Katrin mit Kurt einen kleinen Gewöhnungsspaziergang wagen und ihm bei Kaffee und Hundekuchen ihre Wohnung zeigen – die lag gleich auf der anderen Seite des Esterhazyparks. Max wünschte ihr viel Glück für die kommenden Stunden und hinterließ ihr zur Sicherheit seine Adresse. »Und wenn er nicht gehen will, dann lassen Sie ihn einfach liegen«, rief er ihr nach.

Katrin und Kurt verstanden einander auf Anhieb. Sie hatte sich nie zuvor mit einem Hund beschäftigt, er sich nie zuvor mit einem Menschen. Sie verabscheute Hundegebell, ihm widerstrebte Menschengeplapper. Beide hassten den Winter. Beide litten unter Kälte und Schnee. Beide sehnten sich nach Frieden und Geborgenheit. Beide waren von an Toleranz grenzender Gleichgültigkeit beseelt. Beide ließen die anderen so sein, wie sie waren, und bestimmt auch dort stehen (beziehungsweise liegen), wo sie sich befanden. Irrtum: Gerade in diesem sensiblen Bereich ging Katrin nach wenigen harmonischen Augenblicken ihren eigenen Weg.

Konkret war es so, dass sie Kurt die Leine abnahm und einige Meter durch den Schnee stapfte. Als sie sich umdrehte, lag der Hund noch immer auf dem Platz, an dem die Übergabe stattgefunden hatte. Auf das Kommando »Hierher!« ereignete sich (aus Kurts Sicht) nichts Dramatisches. Auch nicht auf das zehnmalige Kommando »Hierher!«, auch nicht auf die jeweils mehrmaligen erweiterten Kommandos »Kurt, hierher!« – »Kurt, komm hierher!« Und: »Blöder Hund, komm hierher!« Auch nicht auf erweiterte Ausfälligkeiten und Entgleisungen wie: »Kannst du nicht gehen?« – »Hast du keine Beine?« – »Bist du schwerhörig?« – Oder: »Hast du keine Beine und bist du zusätzlich schwerhörig?« Auch nicht auf mehr oder weniger gefährliche Drohungen wie: »Wenn du keine Beine hast, soll ich dir welche machen?« – »Das sag ich deinem Herrl!« (Der war gut! Kurt hätte gerne gelacht.) – »Ich rufe den Abschleppdienst.« – »Ich rufe den Tierarzt.« – »Ich rufe die Tierkörperverwertung.« – »Ich rufe den ambulanten Seifenverarbeitungsdienst.« Und: »Wenn du nicht gleich gehst, kannst du dir Weihnachten bei mir abschminken.«

»Also gut, du hast gewonnen, komm her und wir gehen heim«, war zwar nur noch resignativ geflüstert. Aber Kurt hatte entweder Mitleid oder ein Einsehen oder einen Energieanfall. Er erhob sich und stand wenige Minuten später neben ihr, wo er einen Kreis drehte, sich dabei einrollte und in den Tiefschnee fallen ließ. Das weckte Katrins Ehrgeiz. Sie ging ein paar Schritte weiter, rief im gleichen tristen Tonfall: »Kurt, du hast gewonnen, komm her und wir gehen heim!« – Kurt trottete nach. Das Spiel ließ sich noch drei weitere Male wiederholen. Sie waren nicht mehr weit von Katrins Wohnung entfernt.

Als sie die Wegstrecke verdoppelte und sich umdrehte, war der Hund verschwunden. Sie suchte ihn eine Stunde lang. Sie durchforstete den gesamten Esterhazypark. Sie ging jeder Spur nach, sogar Vogelspuren. (Vielleicht hatte sich Kurt von Vögeln abschleppen lassen.) Sie rief den Namen »Kurt« öfter, verzweifelter, schriller und hysterischer als sämtliche mit einem Kurt verheirateten Frauen dies im Zeitraum zwischen Hochzeit und goldener Hochzeit zustande bringen konnten. Vergeblich. Kurt war und blieb fort.

Max hatte sich gerade hingesetzt, um Ludmilla (Foto eins) »in der Freizeit für ihr Leben gern Pullover stricken« zu lassen, wobei er schon Angst vor der unausweichlichen Pointe hatte, dass ihr im vorliegenden Fall die Wolle ausgegangen sein dürfte. Da läutete es vehement an der Tür.

Es war Katrin im gelben Raumanzug. Was man von ihr erkannte, sah nach hochgradiger Verzweiflung aus. »Kurt ist verschwunden«, vermeldete sie atemlos. Max war erleichtert, er hatte schon gedacht, es sei etwas passiert. »Ich habe den ganzen Park nach ihm abgesucht, er ist plötzlich nicht mehr da gewesen. Was kostet so ein Hund?«, fragte sie und tapste ihren Raumanzug ab, als würde sie ihre Geldbörse suchen.

»Jetzt beruhigen Sie sich einmal«, sagte Max. Ein schöner Satz, dachte er: Wird im Film zu oft und im Alltag zu selten verwendet. »Wollen Sie einen Kaffee?« – Auch ein schöner Satz, dachte er: Wird im Film zu selten, aber im Alltag leider zu oft verwendet. »Kaffeeeee?«, rief Katrin entsetzt: »Wir müssen sofort zur Polizei gehen und eine Vermisstenanzeige aufgeben. Dann müssen wir den Hund noch einmal suchen. Er erfriert noch.« – Aber nein, dachte Max: Erfrieren wäre Kurt erstens zu anstrengend gewesen.

Und zweitens hatte er hundertmal eher Frostschutzmittel als Blut in den Adern. Ohne seine Gedanken preiszugeben, klopfte er Katrin auf die rechte gelbe Raumanzugschulter und sagte: »Kein Grund zur Aufregung. Er kann nicht weit sein. Wir holen ihn. Okay?« – »Einverstanden«, sagte Katrin und reichte ihm unabsichtlich die Hand (den gelben Raumhandschuh), als hätten sie sich nach zähen Verhandlungen auf einen guten Kompromiss geeinigt.

Max zog sich im Vorraum die Winterschuhe an. Als er ins Wohnzimmer zurückkehrte, stand Katrin bei seinem Schreibtisch und fragte: »Sind Sie … äh … Fotograf?« Ihre Stimme war plötzlich rau und uncharmant. Sie hatte die Kapuze ihres Raumanzugs zurückgeschlagen. Sie sah aus wie Winona Ryder, wenn sie gerade keine Männer mochte. Max hatte vergessen, die Pin-ups wegzuräumen. Sie lagen ausgebreitet nebeneinander. »Nein«, erwiderte er halblaut, »ich brauche die Bilder für meine Arbeit.« – »Als Motivation sozusagen«, sagte Katrin. Sie sah aus wie Winona Ryder, wenn sie gerade zelebrierte, keine Männer zu mögen. »Aber Verzeihung, das geht mich eigentlich nichts an«, setzte sie nach und zog die Kapuze über den Kopf. Das hätte Winona Ryder nicht gemacht. Max verzichtete darauf, die Sache mit den Fotos aufzuklären. Er war froh, an die frische Winterluft zu kommen.

Kurt fanden sie relativ rasch. Max fragte Katrin, an welcher Stelle sie den Hund zum letzten Mal gesehen hatte. Dorthin stapften sie. »Hier muss er sein«, sagte Max. »Hier ist niemand«, widersprach Katrin. »Kurrrrrrrrrt!«, rief Max. Von seinem »r« konnten knurrende Hunde noch etwas lernen. An der Schneeoberfläche bröselte es leicht. Kurt war einige Meter darunter. Der Schrei hatte ihn aufgeweckt. »Er hat sich einen Iglu gebaut«, stellte Katrin fasziniert fest.

Unmöglich, dachte Max: Der Iglu muss sich um Kurt herum gebaut haben.

Kurt ging es gut. Er war mit Katrins Schrecken davongekommen. Trotzdem trugen sie ihn zu zweit bis vor die Haustür. Er schlief in ihren vier Armen und machte sich schwer. »Wollen Sie noch auf einen Kaffee zu mir kommen?«, fragte Max. (Der Satz war vorhin unter seinem Wert verkauft worden, dachte er.) »Danke, sehr nett. Vielleicht ein andermal«, erwiderte Katrin. (Ein Satz, der sowohl im Film als auch im Alltag eindeutig zu oft verwendet wird, dachte Max.) »Glauben Sie, dass Sie den Hund zu Weihnachten nehmen werden?«, fragte er. »Ich denke schon«, erwiderte Katrin. »Irgendwie mag ich ihn.«

10. Dezember

Montagabend war Katrin bei ihrer Freundin Beate zum Essen eingeladen. Nein, nicht zum Essen, sondern zum Zuhören, aber sie durfte dabei auch kurz essen. Kurz essen genügte. Denn zum länger Essen war Beates Essen nicht geeignet. Es schmeckte nicht. Es schmeckte nie. »Irgendwas muss ich falsch gemacht haben«, erkannte zumeist auch Beate angesichts der nicht leerer werden wollenden Teller. »Alles«, lag Katrin dann stets auf der Zunge.

Mit Beate und dem Essen war es wie mit Beate und der Liebe. »Beate und die Liebe« hörten seit drei Jahren auf den Namen Joe. Joe war das bestimmende Thema und der tiefere Sinn der Freundschaft mit Katrin. »Was mache ich falsch?« und »Was soll ich machen?« war Beates Kernfragepärchen, das die gemeinsamen Abende gestaltete. »Alles« und »Alles anders« waren die jeweiligen Antworten, die Katrin stets auf der Zunge lagen. Manchmal rutschten sie ihr heraus und plumpsten in die nicht leerer werden wollenden Teller. Das verkraftete Beate nicht. Da war dann die Freundschaft zumeist unterbrochen – so lange, bis Beate beschloss, Joe »diesmal endgültig« stehen zu lassen. Auf die entsprechende telefonische Mitteilung musste Katrin oft mehrere Tage warten. Dann wurde die Freundschaft wieder aufgenommen.

Dem Abend mit Beate und Joes Geist war ein hektischer Arbeitstag vorangegangen. Augenarzt Dr. Harrlich war in der Früh von einer Dachlawine erfasst und eingestaubt worden. Er fühlte sich gedemütigt und schmutzig und war nicht in der Lage, seiner Assistentin Katrin behilflich zu sein. »Schönes Fräulein, ich verlasse mich ganz auf Ihren Fleiß, auf Ihr Geschick und Ihre Jugend«, sagte er (vom Schnee) gebrochen und verließ die Ordination.

Der Wartesaal war voll. Die durch Nebel, Schnee und Verschmelzung der beiden hervorgerufene schlechte Sicht der vergangenen Tage veranlasste weite Teile der Bevölkerung, ihre Augen kontrollieren zu lassen. Da Dr. Harrlichs Philosophie »Jeder, der die Türschwelle meiner Ordination betritt, ist ein Patient und wird sofort behandelt« (eine Philosophie, die ohne Voranmeldungen auskam), auch in seiner Abwesenheit zu gelten hatte, fiel Katrins Mittagspause einem Dutzend sofort zu behandelnder Patienten zum Opfer.

Dazwischen, zum ungünstigsten aller Zeitpunkte, auf den Mütter intuitiv spezialisiert sind, rief die Mutter an und drohte: »Goldschatz, wegen Weihnachten reden wir noch. Das kannst du deinem Vater nicht antun.« (Die Sache mit dem Hund.) »Und wer ist dieser Max überhaupt? Du hast uns nie von einem Max erzählt. Von einem Martin hast du erzählt, aber nicht von einem Max ...« – »Er arbeitet mit Pornofotos«, erwiderte Katrin, um der Mutter vorschnelle Heiratsgedanken auszutreiben. »Schrecklich«, seufzte sie ins Telefon, »und von so einem nimmst du einen Hund? Goldschatz, was ist nur los mit dir? Dein Vater macht sich Sorgen ...«

Ja, und Max hatte angerufen. Das Telefonat legte sich Katrin in Dr. Harrlichs Sprechzimmer, sie wusste zwar nicht warum, aber sie tat es. Zwei parallel untersuchte Patienten mussten sich einstweilen mit den Sehtesttafeln still beschäftigen.

Max wollte sich nur für den Spaziergang bedanken. Er sagte, Kurt wisse gar nicht, wie gut es ihm gegangen sei, dass sie mit ihm gegangen sei. Man (Kurt oder Max, das ließ er offen) würde sich jedenfalls freuen, wenn Katrin diese Woche nach dem Dienst einmal bei ihm vorbeikommen würde. Er (Max) würde einen frischen Birnenkuchen machen, das sei seine absolute Spezialität. Er sei an sich ein schlechter beziehungsweise kein Koch, er könne nicht einmal Spiegeleier machen, ohne dass dabei Rühreier herauskämen. Aber der Birnenkuchen, der liege ihm, den habe er im Griff, damit hätte er sich bereits in die Herzen sämtlicher Großmütter des Wohnbezirkes gebacken. Sie müsse ihn unbedingt einmal kosten, am besten noch diese Woche. Sie könne jederzeit kommen, er habe sonst nichts vor. Er sei süß, aber auch wieder säuerlich, aber nicht zu sehr. (Der Birnenkuchen.) Er (Max) sei am Abend meistens zu Hause und arbeite. – Karin musste unwillkürlich an die Pin-ups denken.

»Diese Woche ist es bei mir terminlich schon ein bisschen eng«, log sie. Vor allem das Wort »terminlich« mit den beiden unnahbaren »i« war ihr gut geglückt, fand sie. »Aber eventuell morgen irgendwann zwischendurch.« – Vor fünf Jahren hätte Katrin einfach mit »morgen« geantwortet und auf die drei Krücken der Vorsicht, auf »eventuell«, »irgendwann« und »zwischendurch« verzichtet. »Jederzeit«, erwiderte Max. Er dürfte ein anderer Typ sein als sie, dachte sie: vermutlich der gegenteilige.

Bei Beate gab es Hühnerrisotto. Katrin kostete ein Stück Huhn, schob den Rest des Fleisches an den Tellerrand, probierte einen Teelöffel Reis, schaufelte den Rest zum Huhn, aß, was übrig geblieben war (fünf Rosinen), und fragte Beate, ob sie ein Stück Brot haben könnte. »Was mache ich falsch?«, fragte Beate. Es ging nicht mehr ums Risotto, sondern bereits um Joe.

Joe war Musiker. Katrin hatte ihn noch nie gesehen. Er war meistens mit seiner Band auf Tournee. Beate hatte großes Verständnis dafür. Beate hatte großes Verständnis für alles, was Joe machte oder nicht machte. »Weißt du, Musik ist sein Leben«, sagte sie oft. Er war Gitarrist oder Bassist oder Schlagzeuger in einer Rock- oder Folk- oder Big-Band, glaubte sie. »Weißt du, er redet nicht gern über seine Arbeit. Wenn er mit mir zusammen ist, dann ist er lieber ganz privat«, meinte Beate. Fast alle Sätze, die von Joe handelten (also fast alle Sätze) begannen mit: »Weißt du …« Jeder dieser Sätze war darauf angelegt, einen scheinbaren Missstand in Zusammenhang mit Joe so aufzuklären, dass dabei etwas Gutes für Joe und somit etwas Schmeichelhaftes für sie herauskam, etwas das ihn entweder als tollen Kerl auswies oder gar seine Liebe zu ihr unter Beweis stellte.

Katrin hatte Beate vor drei Jahren in der Fahrschule kennen gelernt. Sie saß neben ihr, war am Unterricht desinteressiert (das gefiel Katrin) und frisch verliebt. (Das gefiel ihr weniger.) Nach drei Stunden hätte Katrin bereits antreten können: zur theoretischen Joe-Prüfung. Sie wusste alles über Beates erste drei Wochen mit ihm, von Typ und Klasse über Abschleppen, Antrieb, Leistung und Bremsproblemen bis hin zum Fahrgestell.

Beate hatte sich von ihm in einer Bar aufreißen lassen. Joe war dort nach einem Konzert hängen geblieben. Es gab zu der Zeit ein Wohnungsproblem mit seiner damaligen Exfreundin. Sie ließ ihn nicht mehr in die Wohnung. Beate war mit drei Freundinnen unterwegs gewesen – zwei fadisiert verheiratet und auch die dritte gelangweilt liiert, also auf Abenteuersuche. Beate suchte eher wieder etwas »Festeres«, nicht unbedingt kräftig, aber mit mehr Zukunft als die Männer ihrer Vergangenheit.

Sie hatten Joe schon fast drei Stunden lang »süß« gefunden: wie er still für sich dasaß und einen Joint nach dem anderen rauchte (um das Wohnungsproblem in den Griff zu bekommen). Nur die Haarspitzen musste er sich schneiden lassen, beschloss man. Die waren schon recht staubig, weil er mit ihnen in gebückter Haltung zwangsläufig den Boden aufkehrte. Aber er war ein Mann, der ohne seine subkulturelle Hängematte wie lieblos skalpiert ausgesehen hätte.

Als er sie auf eine Runde Tequila einlud, schlugen alle vier Herzen noch ein deutliches Stück höher. Am höchsten schlug jenes von Beate. Denn Joe hatte nur Augen für sie. (Sie war die Einzige, die allein wohnte, kombinierte Katrin.)

Zur Belohnung für seine auf sie konzentrierten Augen durfte er jedenfalls bei ihr übernachten. »Weißt du, er schaut zwar vielleicht ein bisschen wild aus, aber er ist eben Künstler«, erzählte sie Katrin danach. »Außerdem ist er sehr reinlich, er hat sogar seine Zahnbürste mitgehabt«, verriet sie. – »Sag bloß, du hast mit ihm gleich in der ersten Nacht geschlafen«, sagte Katrin. »Weißt du, wir haben es eigentlich gar nicht vorgehabt, aber es hat sich spontan ergeben. Joe ist sehr spontan«, erwiderte Beate und kicherte.

In dieser Art ging es drei Jahre weiter, nur verlagerte sich Joes Spontaneität kontinuierlich weg von Beate. Es war eine jener einseitigen Liebesgeschichten, die sich darüber definierten, dass im Grunde nichts da war, was wiederum die Illusion auf alles und die Hoffnung auf vieles nährte. Zumindest Beate definierte es so. Denn Joe war ja nicht da.

Unter den wenigen Dingen, die Beate von ihm erfuhr, waren unabsichtlich fünf Frauengeschichten. »Weißt du«, sagte sie dann (jeweils) zu Katrin, »er schlittert in solche Sachen hinein, er ist eben ein Gefühlsmensch. Aber es bedeutet ihm nichts. Er sagt, er liebt nur mich.« – Nach diesen Worten verließ sie allerdings der Mut. Da kamen ihr zumeist Tränen dazwischen. Oder sie probierte: »Weißt du, er sieht das nicht als Betrug an, sonst würde er versuchen, es vor mir geheim zu halten. Aber das tut er nicht. Das zeigt, dass es ihm nichts bedeutet. Denn er liebt nur mich.« Auch diese Version ging selten ohne Tränen ab. Und Katrin hatte endlich die Möglichkeit zu fragen: »Ist es nicht besser, du lässt ihn stehen?« Eine sinnlose Frage, denn Beate »lässt nicht«, Beate »wird gelassen.« Folglich reagierte sie ausweichend und fragte: »Was mache ich falsch?« Darauf dachte Katrin »alles« und sagte nichts.

Diesmal, am Tag des Hühnerrisottos, hatte Joe ein versprochenes Wochenende mit Beate in letzter Minute stornieren müssen, weil ihm eine Kurztournee dazwischengekommen war. »Erfährt er von seinen Auftritten immer erst einen Tag davor?«, fragte Katrin. »Weißt du ...«, erwiderte Beate. Und dann kamen: »Künstler«, »zerstreut«, »chaotischer Manager«, »tut ihm selbst so leid« und »hat sich schon so darauf gefreut«. Dann weinte Beate. Dann tröstete sie Katrin. Dann fiel ihr Beate in die Arme und schluchzte. Dann klopfte ihr Katrin mütterlich aufs Schulterblatt und wählte dazu die schlimmste Lüge, die man Freundinnen antut, um ihnen Gutes zu tun: »Wird schon werden!« – »Glaubst du?«, fragte Beate mit sich von Tränen verabschiedender Stimme. »Ja«, log Katrin. Auch schon egal. Beate fühlte sich besser.

Und Katrin ging es auf dem Nachhauseweg richtig gut. Der schmelzende Schnee roch nach eingeweichten Cornflakes. Die Luft war scharf wie Pfefferminze. Katrin atmete auf und durch. Sie hatte das Gefühl, als würde sie ihren inneren Organen eine Heilmassage angedeihen lassen. Sie freute sich auf ihre kleine Wohnung, die sie mit keinem partnerschaftlichen Problem teilen musste. Es tat ihr gut, nicht verliebt zu sein, sich nach niemandem zu richten und auf nichts und niemanden warten zu müssen. In der Küche befanden sich exakt jene Teller und Tassen noch nicht im Geschirrspüler, die Katrin nicht hineingestellt hatte, weil ihr exakt diese Handgriffe zu viel gewesen waren. Im Badezimmer musste sie nicht nachdenken, ob sie die rote oder die blaue Zahnbürste verwenden sollte – beide gehörten ihr. Im Schlafzimmer lag das Kopfpolster in der Mitte des Doppelbettes und würde nicht irgendwann in der Nacht auf eine der Seiten geschoben werden. Und Licht leuchtete so lange, bis Katrin und nur Katrin es abdrehen würde.

Aber sie war noch nicht müde genug. Ihre Selbstzufriedenheit wühlte sie auf. Sie wollte sie gern teilen oder zumindest mitteilen. Sie stand auf, bediente den Computer, öffnete ihr Postfach mit den 15 zuletzt gespeicherten Adressen ihrer Mailbox – ein grober Querschnitt ihres sozialen Umfeldes – und schickte eine E-Mail an alle. »Katrin wünscht euch eine gute Nacht.« Dann legte sie sich nieder, drehte das Licht ab, dachte an Beate und Joe – und schlief schon im halben Gedanken daran erleichtert ein.

Max wurde von Kurt auf Katrins E-Mail aufmerksam gemacht. Kurt hatte sich in einem Anflug von Dynamik um die eigene Achse gedreht und dabei mit dem Schwanz die Computer-Maus vom Schreibtisch gefegt. Nicht dass er sich für Mäuse interessierte, aber das Kabel gefiel ihm. Er konnte es sich ohne Anstrengung um die Beine wickeln und damit eine vollständige Steh- und Gehunfähigkeit herbeiführen, einen Zustand, für den es sich zu leben lohnte.

Max entfesselte ihn wortlos und prüfte dann die technischen Folgen. Der Computer funktionierte zum Glück einwandfrei. Bei dieser Gelegenheit öffnete er die Mailbox und entdeckte den Gute-Nacht-Gruß von Katrin. Es war knapp vor Mitternacht. Er war aufgeregt und hellwach. Er hatte keine Zeit zu verlieren. Er musste sofort beginnen. Zuerst natürlich der Teig. Die Birnen kamen erst später dazu.

11. Dezember

Der Birnenkuchen in Gedanken an Katrin war fertig. Welche Gedanken? – Ach, einfach dass wieder einmal ein neuer Mensch da war, für den es sich lohnte, um Mitternacht einen Birnenkuchen zu backen. Das heißt: Ob es sich lohnen würde, war noch ungewiss. Aber es machte Spaß. Und immerhin nahm sie ja Kurt, wenn es so weiterging wie bisher. Wer nahm schon Kurt? Außerdem hatte sie Max eine »gute Nacht« gewünscht. Er erkannte wohl, dass das nichts zu bedeuten hatte. Er sah, dass ihre E-Mail ein belanglos formulierter Gemeinschaftsgruß an mehrere Personen gleichzeitig war. Er hatte nichts Persönliches. Katrin hatte ihm gegenüber nichts Persönliches. Max fühlte sich von ihr persönlich noch nicht registriert.

Er konnte sich auch nicht vorstellen, dass Katrin an ihm interessiert sein könnte. Das heißt: Er hatte noch gar nicht versucht, sich so etwas vorzustellen. Das heißt: Sie hatte ihm noch kein Signal gegeben, das ihn dazu veranlasst hätte, zu versuchen sich vorzustellen, dass sie an ihm interessiert sein könnte. Er hatte ihr allerdings auch keinen Grund für ein Signal gegeben, das ihn dazu veranlasst hätte, zu versuchen sich vorzustellen, dass sie an ihm interessiert sein könnte.

Im Übrigen war er an ihr ja auch nicht interessiert. Nicht, weil sie nicht interessant war. Das heißt: Er hatte sich noch gar nicht überlegt, ob sie interessant war. Sie hatte ihm freilich auch noch kein Signal gegeben, das ihn dazu veranlasst hätte zu überlegen, ob sie für ihn interessant sein körnte. Er hatte ihr allerdings auch keinen Grund für ein Signal gegeben, das ihn dazu … Ende. Der Birnenkuchen war fertig. Schade.

Es war 1 Uhr nachts. Max setzte sich vor seinen Computer, öffnete die Gute-Nacht-Mitteilung von Katrin, drückte auf »Antworten« und schrieb: »Guten Morgen. Der Birnenkuchen ist fertig. Sie können gern zum Frühstück kommen. Kurt freut sich. Lieber Gruß, Max.« Danach bückte er sich unter Kurts Sessel und streichelte ihn. Nicht den Sessel, den Hund (obwohl es dem Sessel wahrscheinlich besser gefallen hätte). Egal. Es gab ganz wenige Momente, in denen Max stolz war, Kurt zu besitzen. Das war so ein Moment.

Um 7 Uhr wurde Kurt durch einen grellen Schrei unsanft aus dem Schlaf gerissen, drehte sich aber gleich wieder um und schlief weiter. Max hatte »Neiiiiiin« geschrien. Der Grund war das Telefon. Es hatte geläutet. Das tat es normalerweise nicht um diese Zeit. Und nicht in dieser Situation.

Max hatte verdammt schlecht geträumt. Das verdammt Schlechte an dem Traum war, dass er zu früh zu Ende war und dass er nur ein Traum war, dass er sich also nicht fortsetzen ließ. Der Traum hatte sich nämlich verdammt gut angelassen, hatte sich dann irgendwie verzettelt und riss zum unglücklichsten aller Zeitpunkte ab. Er handelte von Katrin. Sie war in ihren gelben Raumanzug gehüllt. Max sah von ihr nur die verklärt herumschweifenden Blicke ihrer mandelförmigen Augen. (Hatte sie mandelförmige Augen?)

Sie hatte sich unsterblich in ihn verliebt. In Kurt. Sie wollte ihn unbedingt haben. Sie sagte: »Bitte gib mir Kurt, du kannst dafür verlangen, was du willst.« Das sagte sie zu Max. Er fragte: »Ehrlich?« Sie sagte: »Ehrlich.« Er fragte: »Darf es auch etwas Körperliches sein?« Sie sagte: »Natürlich, für Kurt kriegst du alles von mir.« Max: »Ist das dein Ernst?« Katrin: »Das ist mein voller Ernst.« Max: »Und wenn du das aber nicht machen willst, was ich mir von dir wünsche?« Katrin: »Ich mache alles, was du dir wünschst, wenn ich nur Kurt dafür kriege.« Max: »Es ist aber ... etwas ... Außergewöhnliches.« Katrin: »Damit habe ich gerechnet.« Max: »Du müsstest dich ...« Katrin: »Ausziehen? Wie außergewöhnlich!« Max: »Nein, du müsstest dich ...« Katrin: »Sag schon!« Max: »Ich schaffe es nicht.« Katrin: »Na komm, nur Mut! Sag es. Was muss ich mich? Egal, was es ist, ich tu's, wenn ich Kurt dafür bekomme.« Max: »Es wird dir aber pervers vorkommen.« Katrin: »Ach, was ist schon pervers? Männer sind pervers. Wenn sich ein Mann von einer Frau etwas wünschen darf und es wäre nicht pervers – das wäre pervers. Also sag schon.«

Max überlegte, so lang es ging (so lang man im Traum überlegen konnte, ohne dass der Traum als Traum aufflog), und sagte dann: »Ach was, du kriegst Kurt auch, wenn du's nicht tust.« Katrin: »Ehrlich?« Max: »Ehrlich.« Katrin: »Das ist ganz, ganz lieb von dir. Danke.« Sie gab ihm einen flüchtigen Kuss auf die Stirn, beugte sich über Kurt und machte Anstalten, ihn zu nehmen und zu gehen. (An dieser Stelle wäre der Traum beinahe abgestürzt, Max wälzte sich unruhig im Bett und drohte aufzuwachen.)

»Aber würdest du es trotzdem tun?«, fragte Max energisch. (Er glaubte wieder an sich.) Katrin: »Du meinst freiwillig? Ohne etwas dafür zur kriegen? – Kommt darauf an, was es ist.« Max: »Ich würde es nämlich nur wollen, wenn du es auch gerne machen würdest, ohne dass du etwas dafür bekommst.« Katrin: »Aber Kurt krieg ich, das hast du mir versprochen.« Max: »Das hab ich versprochen.« Katrin: »Also sag schon. Was soll ich tun?« Max atmete kräftig durch, schloss die Augen und sagte: »Du müsstest dich hinter mich stellen.« Katrin: »Das würde ich machen.« Max: »Moment, es kommt erst.« Katrin: »Sag schon.« Max: »Ich zieh mein Hemd aus. Du legst deine Hände auf meinen Nacken und fährst mit allen zehn Fingernägeln ganz langsam den Rücken herunter. Es darf nicht zu leicht sein, sonst kitzelt es. Es darf aber auch nicht zu fest sein. Es darf auf keinen Fall weh tun. Er dürfen keine Kratzspuren zurückbleiben. Und ganz langsam. Nur ein Mal. Würdest du das für mich tun?« – Da warf ihm Katrin aus dem Sehschlitz ihres gelben Raumanzugs einen undefinierbaren Blick zu, holte Luft und heulte hysterisch wie eine Sirene, nein, sie klingelte wie ein Telefon. Es war das Telefon. Es war sieben Uhr. Max schrie: »Neiiiiiiin!« Kurt wurde aus dem Schlaf gerissen, drehte sich um und schlief weiter. Hätte sie es getan?

Draußen war es noch finster. Katrin wunderte sich, wie es ihr gelungen war, das Bett zu verlassen. Außerhalb konnte nichts besser sein als unterhalb der Decke. Im Radio hatten sie einen »Föhnsturm« angekündigt. Allein das Wort zog ihr die Schläfen wie Magnete zusammen. Was halbwegs nach Schnee ausgesehen hatte, war geschmolzen. Zurück blieben grau-weiß tapezierte Dreckhügel mit gelben Einschusslöchern von Typen wie Kurt. Es hatte jedenfalls keinen Sinn, länger als ein paar Sekunden aus dem Fenster zu schauen, um zu erahnen, was der Tag bringen konnte. Er konnte nichts bringen. Woher sollte er es nehmen?

Katrin trank schwarzen Kaffee und aß Zwieback. Die Milch war sauer, Brot gab es keines mehr. Beim Wort »Müsli« hätte es ihr die Schläfen, die das Wort »Föhnsturm« migräneartig zusammengezogen hatte, brutal auseinandergeschleudert. Katrin lebte gern gesund, aber nicht an einem finsteren Dienstagmorgen im Dezember. Da war sie froh, dass sie überhaupt lebte.

Von ihrem Computer war normalerweise nicht viel zu erwarten. Aber immerhin: Vier hatten ihr bereits geantwortet. Beate schrieb: »Danke, dir auch eine gute Nacht. Du hast mir sehr geholfen. Weißt du, mit Joe ist es zwar nicht einfach, aber ich glaube, wenn es zu einfach wäre, würde ich es gar nicht aushalten.« Auch Franziska hatte geantwortet. Sie schrieb: »Hey, Katrin, wie kommt es zu einem Rundschreiben um Mitternacht? Ist etwas vorgefallen? Ich ruf dich an! Deine Franzi.« Franziska war Katrins beste Freundin, leider hatte sie zwei kleine Kinder. Nein, anders: Leider hatte sie wenig Zeit, weil sie zwei kleine Kinder hatte. Und leider waren die beiden Kinder immer dabei, wenn Franziska (wenig) Zeit hatte. Es waren Kinder, für die es keinen Babysitter gab.

Manche Kinder kamen zur Welt, wurden den kraftlosen Müttern in die Arme gedrückt und man sah sofort: Das waren Kinder, für die es keinen Babysitter gab. Sie konnten sich zwar noch nicht mitteilen. Sie konnten nur die verknautschte Stirn runzeln, den Mund öffnen und den einen oder anderen Eröffnungsschrei von sich geben. Aber sie hatten bereits eine imaginäre Tafel um den Hals hängen. Und darauf stand: »Für uns gibt es keinen Babysitter. Sollte einer zum Einsatz kommen, machen wir ihn zur Sau.« Und die kraftlosen Mütter drückten die Kinder so fest sie (schon) konnten an ihre Brust und signalisierten damit: Macht nichts. Wir brauchen keinen Babysitter. Wir sind immer für euch Babys da. Und ihr seid immer bei uns dabei. Und wenn das unseren Freunden nicht passt, dann haben sie eben Pech gehabt. – So eine Mutter war Franziska. Sie hatte übrigens auch einen Ehemann. Katrin war verblüfft, dass sie auch das noch unterbrachte.

Es gab zwei weitere elektronische Antworten. Eine kam von Aurelius, die öffnete sie zuerst. Er war die letzte große Liebe der Schulmeister-Hofmeisters gewesen. Er hatte alles, was ein Mann haben musste, damit die Eltern sagen konnten: »Goldschatz, was willst du mehr?« (Mutter.) Und: »Maus, lass nur ja nicht locker. Machen wir Nägel mit Köpfen!« (Vater.) Aurelius war erst 35 und hatte schon eine eigene Notariatskanzlei (geerbt). Er war Staatsmeister in der Vierer-Klasse (Rudern). Er war ehrenamtlicher Präsident des Taubenzüchterverbandes. Er war klug. Er war gebildet. Er war schön. (Schöner als das »Best of« der letzten drei James Bonds, also bereits obszön schön.) Er hatte zwölf dunkle Anzüge, zehn Paar schwarze Schuhe. (Praktische Schuhe. Sie sahen alle gleich aus, er konnte sie beliebig variieren, er musste nur aufpassen, dass er nicht zwei linke oder zwei rechte erwischte.) Er hatte drei Putzfrauen: eine Hausputzfrau, eine Fensterputzfrau und eine Schuhputzfrau. Er hatte … darf es genug sein? Er schrieb: »Wenn du dich einsam fühlst, so weißt du, wo du mich erreichst. In treuer Liebe, Aurelius.« Er hatte kein Gefühl für die richtigen Worte zur richtigen Zeit.

Die vierte Antwort kam von Max. Katrin hatte gerade ein letztes Stück Zwieback den Rachen hinunterbröseln lassen, und der heiß nachgespülte schwarze Kaffee zupfte wie ein Kontrabassist an ihrer Magenschleimhaut. Da las sie: »Guten Morgen. Der Birnenkuchen ist fertig. Sie können gern zum Frühstück kommen. Kurt freut sich. Lieber Gruß, Max.« Frühstück war eine Idee, dachte sie und rief bei ihm an.

Niemand meldete sich. Vielleicht ging er gerade mit Kurt Gassi. Oder er stand unter der Dusche. Oder er war mit seinen Pin-ups beschäftigt. Zehn Minuten später versuchte sie es noch einmal und da meldete er sich sofort: »Bei Max.« –

»Hallo, Katrin spricht, wenn das noch gilt, das mit dem Kuchen, würde ich vor der Arbeit gerne kurz vorbeikommen, wenn es nicht stört. Ich würde gleich losgehen. Aber wirklich nur, wenn es nicht stört.« – Es störte nicht.

Sie war eine Dreiviertelstunde bei ihm. Sie sprachen hauptsächlich über den Birnenkuchen. Er schmeckte erstaunlich gut, überhaupt nicht nach Birnen, das musste man erst einmal so hinkriegen, lobte Katrin. »Birnen schmecken ja eigentlich nach nichts«, meinte Max. Nur deshalb verwendete er sie. Ein Obstkuchen sollte seiner Ansicht nach nicht nach Obst, sondern nach Kuchen schmecken. Denn wer Obst essen wollte, sollte Obst essen, der brauchte keinen Kuchen dazu, war sein Standpunkt.

Katrin nickte, teils einsichtig, teils höflich, meinte dann aber doch: »Eigentlich hättest du die Birnen weglassen können.« (Hatte sie »du« gesagt?) »Da hast du an sich Recht«, erwiderte Max (somit waren sie per du). »Aber wie nenne ich den Kuchen ohne Birnen?«, fragte er. »Sage ich: ›Ich habe einen Kuchen gemacht‹, so fragen mich die Leute: ›Was für einen Kuchen?‹ Und dann müsste ich zugeben: ›Ach, einfach nur einen Kuchen.‹ Da würde mir schon bei der eigenen Ansage die Lust darauf vergehen.« Katrin nickte, teils einsichtig, teils verständnisvoll, teils höflich.

»Oder die Leute fragen erst gar nicht nach«, setzte Max fort, »sie denken: ›Aha, Kuchen, einfach nur ein Kuchen, sonst kann er nichts, der Kuchen. Nicht einmal ein Schokoladekuchen, einfach nur ein Kuchen. Gott, wie langweilig!‹ Die Leute wären enttäuscht, bevor sie noch ein Stück davon gekostet hätten. Möglicherweise würden sie gar nicht auf die Idee kommen, von dem Kuchen zu kosten. Wozu mache ich dann überhaupt einen Kuchen?«, fragte Max. – Wenn ihn Katrin richtig verstanden hatte, so brauchte er also die Birnen primär, um »Birnenkuchen« sagen zu können.

»Hast du's schon einmal mit Stachelbeeren probiert?«, fragte Katrin. »Stachelbeeren schmecken auch nach nichts. Sie schmecken sogar noch mehr nach nichts als Birnen.« Max horchte auf und sah sie an. Dabei wurden seine Augen groß. Er hatte große Augen, wenn er sich bemühte, dachte Katrin. »Und ›Stachelbeerkuchen‹ klingt fast noch besser als ›Birnenkuchen‹, finde ich«, meinte Katrin. »Aber Stachelbeeren sind schwer zu kriegen, sie haben selten Saison«, erwiderte Max. Da hatte er Recht. Es war eine gute Diskussion, fand Katrin. Leider wurde die Besuchszeit bereits knapp. Katrin musste in die Ordination.

»Und hast du einen Freund?«, fragte Max. Die Frage war unverschämt, dachte Katrin und fragte: »Wieso?« – »Ich hätte ihm gerne ein Stück Birnenkuchen mitgegeben«, erwiderte Max. »Er isst keinen Kuchen«, erwiderte Katrin und fragte sich, wie sehr nun offen geblieben war, ob sie einen Freund hatte oder nicht. Es sollte möglichst weit offen geblieben sein, hoffte sie. »Schade«, sagte Max. Schade, dass sie einen Freund zu haben schien, oder schade, dass er keinen Kuchen aß?, fragte sich Katrin.

»Ich habe keine Freundin«, setzte Max in überraschend heiterem Tonfall fort. Katrin dachte an die Pin-ups und hätte gerne »Warum nicht?« gefragt. Aber das wäre ein Stilbruch gewesen. Sie sagte besser »Ah so« und versuchte ihm einen Blick zuzuwerfen, den er als wertneutrale Zurkenntnisnahme auffassen würde. Er drehte sich zu Kurt und sagte: »So ist es Kurt, nicht wahr?« – Für solche Sätze zahlte es sich aus, Hunde zu besitzen, dachte Katrin.

Kurt erwiderte nichts. Er lag unter seinem Sessel und schlief. »Was hat er eigentlich?«, fragte Katrin. »Nichts«, sagte Kurt. »Leider.« – »Aber du liebst ihn«, meinte sie.

»Ich?«, fragte Max. Das hatte ihm offenbar noch niemand unterstellt.

Beim Verabschieden drückte er ihre Hand länger als notwendig, fühlte Katrin. Sie hatte kein Problem damit. Sie fand Max nicht uninteressant. Sie kannte ihn nicht. Er hatte noch nichts von sich verraten (außer dass er keine Freundin hatte, aber was sagte das schon über einen Menschen aus?). Sie war sicher, dass er absichtlich nichts von sich verriet, nicht weil er es nicht konnte. Somit stand es im Nichts-von-sich-Verraten unentschieden. Das war gerecht. »Man sieht sich«, sagte sie. »Würde mich freuen«, erwiderte Max. Katrin freute sich schon jetzt. Außerdem mochte sie Kurt. Er war ihr Lieblingshund. Er nahm ihr die Scheu vor Weihnachten.

12. Dezember

Die Straßen waren frisch geölt vom Nieselregen, aber es half nichts. Kurt musste Max ins Büro von »Leben auf vier Pfoten« begleiten. Sie mussten die wöchentliche Kolumne »Treue Augenblicke« verfassen. Max brauchte Kurt diesmal persönlich, denn er hatte noch keine Idee, was an schriftlich Verwertbarem er seinem Deutsch-Drahthaar entlocken konnte. Er war auf jede Regung des Hundes angewiesen, auf jede seiner täglichen drei.

Kurt ging nicht gern in ein Büro, schon gar nicht im Winter, schon gar nicht, wenn der Boden nass, rutschig und dreckig war – und schon gar nicht in jenes von »Leben auf vier Pfoten«. Dort waren die Menschen in unerträglicher Weise anlehnungsbedürftig. Sie liebten Tiere so sehr, dass sie vor Freude tanzen, singen, springen und manchmal sogar weinen mussten, wenn sie eines sahen. Überhaupt wenn sie Kurt sahen. Er war ihr Lieblingstier. Denn er konnte sich nicht wehren. Es war ihm zu anstrengend. Und gegen die vielen streichelnden, abgrabbelnden, knuddelnden, grapschenden Hände der »Leben-auf-vier-Pfoten«-Mitarbeiter hätte er ohnehin niemals eine Chance gehabt. Also ließ er die Zuwendungen über sich ergehen.

Außerdem gab es dort die Siamkatze Deneuve, von der es hieß, sie sei »nur ein bisschen verspielt«, aber »gutmütig«. Auch von Kurt hieß es, er sei »gutmütig«. Die Leute wussten gar nicht, wie knapp er manchmal daran war, ihnen anhand von Deneuve das Gegenteil zu beweisen. Deneuve trieb ihn mit ihrer Verspieltheit an den Rand des Wahnsinns. Sie sprang ihn an, hängte sich an seinen Hals, schleckte ihn ab, biss ihn in den Schwanz, rieb ihren Kopf in seinem Fell und wischte sich dabei ihre abgestandenen »Sheba«-Speisereste ab. In diesen Situationen war Kurt überzeugt, dass Deneuve einmal »daran glauben« werde müsse. Ein einziger Biss in die Kehle und es würde für immer Ruhe herrschen, wusste er. Aber was, wenn er nicht punktgenau traf? Dann raste sie quietschend herum, er musste ihr nachjagen, überall Katzenblut – vor dieser Vorstellung grauste ihm. Also ließ er die Torturen über sich ergehen. Meistens stellte er sich schlafend, da wurde es Deneuve dann ohnehin bald zu blöd. Meistens schlief er auch tatsächlich ein.

Auch Max kannte angenehmere Gesellschaften als jene von »Leben auf vier Pfoten«. Die Kollegen, großteils allein stehende, nach Katzenstreu riechende Pensionistinnen mit Papageienstimmen, trauten ihm nicht. Aus ihren argwöhnischen Eulenaugen blinzelte der stete Verdacht auf Tierquälerei. Sie betrachteten jede seiner Gesten und Handgriffe Kurt gegenüber, um sofort einzugreifen und allenfalls Anzeige zu erstatten. Sie hatten Max nie verziehen, dass er sich Kurt eigens angeschafft hatte, um daraus journalistisches Kapital zu schlagen und sich eine ständige Einnahmequelle zu verschaffen. Für sie war, was er mit Kurt trieb, mit Prostitution und Ausbeutung gleichzusetzen, ja schlimmer noch, denn ein Tier konnte sich weniger wehren als ein Mensch und Kurt offensichtlich noch weniger als ein anderes Tier.

Die schreiberische Herausforderung beim Verfassen der Kolumne war so groß, dass sich Max wöchentlich wunderte, sie doch immer wieder aufs Neue anzunehmen. Das Zielpublikum (sofern man von »Publikum« sprechen konnte) waren Kinder aus ärmlichen Verhältnissen, die sich die drittklassigen Tierfotos ausschnitten, und Rentner über sechzig, die mit dem Papier von »Leben auf vier Pfoten« die Kisten ihrer Schildkröten, Meerschweinchen und Hauskaninchen auslegten. Max hatte also das Problem, nicht genau zu wissen, für wen er »Treue Augenblicke« eigentlich verfasste. Kurt, er, seine Freunde und seine Kollegen schieden von vornherein aus und Leser gab es keine.

Als Max vor dem Bildschirm saß und Kurt dabei beobachtete, wie er keine Anstalten machte, eine Regung zu zeigen, die sich beschreiben ließ (er schlief, Deneuve fauchte im Nebenzimmer, die Türe war verschlossen), da dachte er an Katrin. Das passierte ihm seit dem gemeinsamen Birnenkuchen öfter. Sie gefiel ihm irgendwie. Das »irgendwie« dachte er sich vorsichtshalber dazu. Er wusste genau, wie sie ihm gefiel. Aber dieser Gedanke war unerlaubt. Katrin war eine Geschäftspartnerin in Sachen Kurt und Weihnachten (über die Bezahlung hatten sie eigentlich noch gar nicht geredet).

Dazu war Katrin eine Frau, in die sich Max nie verlieben konnte, weil ... Warum eigentlich nicht? – Egal, er konnte es jedenfalls nicht, er war richtig empört, dass das überhaupt eine Möglichkeit zu sein schien. Solche Möglichkeiten setzten ihn unter Druck. Außerdem hatte sie einen seltsam im Hintergrund befindlichen Freund (der keinen Birnenkuchen mochte; was freilich auf einen schlechten Charakter und mangelnde Genussbereitschaft schließen ließ). Außerdem war sie eine Frau, die man garantiert küssen musste, eine Frau, die es ohne Kuss niemals tun würde, eine Frau, an deren Mund es kein Vorbei gab, eine Frau, die sicher nie an die Liebe glaubte, ohne dabei ans Küssen zu denken. Max schüttelte sich vor dem Bildschirm. Kurt, der Platz genommen hatte, hob eine Augenbraue etwa einen halben Millimeter, um sicherzugehen, dass er nichts versäumte. Das war noch nicht die Regung, auf die sich der neue Teil von »Treue Augenblicke« aufbauen ließ.

Aber Max musste vor sich selbst zugeben, dass es ein schöner Gedanke war, Katrin weihnachts- und kurtgeschäftspartnerschaftlich die Hand auf die Wange zu legen und ihr dann sachte übers Ohr zu fahren, ihre schwarzen Haarspitzen entlang auf den Hinterkopf, vielleicht noch ein Stück tiefer auf den Nacken. Und unter dem Pulloverkragen, wo sich ihre Haut besonders warm anfühlte, da sich dort jede Haut besonders warm anfühlte, würde er innehalten und die Augen schließen. Und – kein Kuss! ja, das war ein schöner Gedanke.

Kein schöner Gedanke war die Hundekolumne. Kurt war fest entschlossen, auch weiterhin keinen Beitrag dafür zu leisten. Also begann Max zu schreiben. Er stellte sich seine Leserin vor und schon ging es. Er schrieb diesmal exklusiv für eine imaginäre 75-jährige Hundebesitzerin, die gerade ihre neue Lesebrille ausprobierte und rein zufällig bei »Treue Augenblicke« hängen geblieben war. Sie sollte bei der Lektüre nicht bereuen, dass sie für ihren Sehtest »Leben auf vier Pfoten« und nicht etwa das Telefonbuch gewählt hatte – das war sein Ziel.

TREUE AUGENBLICKE, Teil 83
Titel: Kurt wünscht sich ein Frauerl fürs Herrl.
Text: Hallo liebe Tierfreunde, liebe Hundeliebhaber, liebe Deutsch-Drahthaar-Verbündete! Ich kann euch beruhigen. Kurt ist gesund. Er hat diese Woche besonders brav gegessen. Einmal hat er sogar Schweinshaxen bekommen, da hat er nur die Borsten übrig gelassen. Wir essen ja bei den Rindsrouladen auch nicht die Zahnstocher mit, nicht wahr. Und er war auch immer brav Gassi, er hat jedes Mal schön

das Bein gehoben und weggestreckt, damit sich sein Herrl daheim das Abduschen sparen konnte. Unsere Hunde sind ja doch viel reinlicher als ihr Ruf.

Kurt war ein braver Hund. Er hat in dieser Woche kein einziges Mal gebellt. – Da könnte sich der Opa ein Beispiel nehmen, nicht wahr. Er hat viel geschlafen. Das ist gut für sein Fell, es kriegt dann einen besonders schönen Glanz. Und wir vergönnen es Kurt. Es sind ja jetzt die kurzen Tage und die langen Nächte ins Land gezogen, an denen sich Kurt gar nicht früh genug niederlegen kann, um gar nicht spät genug wieder aufstehen zu können.

Sind unsere Hunde nicht zu beneiden? Keine Weihnachtseinkäufe, keine Hektik, kein Gedränge, keine nervenaufreibenden Stunden im Verkehrsstau. Ja, an so einem grauen Dezembertag, würden wir da nicht alle gern mit unseren Vierbeinern tauschen? Ja, das würden wir. Nur, wie singt doch Reinhard May so schön: Den Kühlschrank müsste man uns schon aufmachen, wenn wir Hunde wären. Aber Spaß beiseite.« (Max biss sich in die Unterlippe, bis es weh tat.)

»Manchmal fühlt sich Kurt schon sehr einsam mit seinem Herrl. So wie Kinder Vater und Mutter brauchen ...« Max hielt inne. Konnte er das wirklich schreiben? Er blickte zu Kurt. Der lag unter einem Bürosessel und schlief. Deneuve kratzte an der Tür des Nebenzimmers. Kollegin Eleonore Königsberger, die Hamster-Päpstin von »Leben auf vier Pfoten«, beschwerte sich zwei Räume weiter (aber laut genug) über die hamsterunwürdige Hamsterhaltung in den Hamsterhandlungen und über Hamsterkäufe an sich. Ihre Stimme schien eine heisere kaukasische Saatkrähe zu imitieren. – Max hatte keine Wahl. Er musste schreiben, ohne zu denken. Er musste rasch fort von hier.

»So wie Kinder Vater und Mutter brauchen, so wünscht

sich ein Hund zum Herrl ein Frauerl. Während Herrl mit ihm Gassi geht, richtet Frauerl schon das Essen her. Im Bett weiß unser vierbeiniger Liebling endlich, wo er hingehört – genau in die Mitte. Und beim Spazierengehen muss er nicht diese vielen sinnlosen Läufe beim Apportieren von leblosen Stockis unternehmen. Er läuft dann einfach zwischen Frauerl und Herrl hin und her und beide klatschen vor Freude in die Hände. Und so gibt es Dutzende Beispiele des täglichen Lebens, die uns zeigen, wie viel schöner ein Hundeleben mit Herrl und Frauerl gemeinsam ist …«

Acht Zeilen fehlten ihm noch. Er hatte das zwingende Gefühl, sich für diese Geschichte noch am selben Tag mit angenehmer Abendgesellschaft belohnen zu müssen. Da er ohnehin gerade vor dem Computer saß, wählte er den unaufdringlichen schriftlichen Weg der Kommunikation. Er schickte vier E-Mails und hoffte auf zumindest eine positive Antwort. An Rodriguez, einen gebürtigen Argentinier, den er während seines (dreimonatigen) Soziologiestudiums kennen gelernt hatte – nicht nur während, auch statt des Studiums –, schrieb er: »Hallo Rod, ein spontaner Überfall. Hast du heute Abend Zeit und Lust auf eine kleine Weinverkostung in unserer alten Stammkneipe? Ich würde mich freuen, dich wieder einmal zu sehen. Lieber Gruß. Max.«

Die zweite E-Mail ging an Paula und Samuel, an sein liebstes befreundetes Pärchen. Sie: Apothekerin und standhaft platonische Freundin bei lediglich drei so genannten Ausrutschern. Er: Architekt, zwei Köpfe kleiner als sie und ein bisschen verdrückt im Gesicht, aber er küsste angeblich gut. Ihnen schlug er einen gemeinsamen Kinobesuch oder ein Essen beim Italiener vor.

Ein deutlich flaueres Gefühl hatte Max bei E-Mail Nummer drei. Die ging an Natalie, bei der er sich seit dem letzten Treffen im Oktober nicht mehr gemeldet hatte. Der damalige Abend war haarscharf an einem Kuss vorbeigegangen. Natalie war erst 22, also zwölf Jahre jünger als er. Sie studierte Anglistik und liebte auf vergleichsweise wenig naive Art einen ihrer Professoren, einen Professor, der auf vergleichsweise naive Art jede zweite Anglistikstudentin liebte. Das war die Basis der bisherigen Gespräche mit Max, der ihr die Augen öffnen wollte, ehe sie plötzlich sehr weit offen waren und seinen Mund anvisierten. Diesen Blick kannte er. Da gab es nur entweder Flucht oder Übelkeit. Er wählte die Flucht.

Jetzt schrieb er ihr: »Hallo Natalie. Natürlich bist du beleidigt, dass ich damals so abrupt aufgebrochen bin und mich einfach nicht mehr gemeldet habe. Wenn du willst, erkläre ich es dir. Wenn du willst, heute Abend. Hast du Zeit für ein paar Gläser Wein?« – Hoffentlich meldet sie sich nicht, dachte Max, als er den Mittelfinger von der Taste »Löschen« wegstreckte und ihn auf »Senden« fallen ließ.

Die vierte E-Mail ging an Katrin. Und Max musste zugeben, dass ihm diese am meisten am Herzen lag. Nein, er gab es nicht zu. Er schrieb: »Hallo Katrin. Vielleicht hast du zufällig Lust und Zeit, mit mir und Kurt einen kleinen Nebelspaziergang im Esterhazypark zu machen. Kurt liebt Nebel. Da kann er stehen bleiben und darauf warten, was geschieht. Anschließend könnten wir beide Glühwein trinken gehen. Dein Freund kann ja mitkommen. Lieber Gruß. Max.« – Wehe, der Freund kommt mit, dachte er.

Kurt schlief noch immer. Deneuve fauchte hinter der Tür und kratzte daran. Max fehlten noch acht Zeilen seiner Kolumne. »Und so gibt es Dutzende Beispiele des täglichen Lebens, die uns zeigen, wie viel schöner ein Hundeleben mit Herrl und Frauerl gemeinsam ist«, hatte er zuletzt geschrieben. Das war an sich ein perfekter Schlusssatz. Deshalb beschloss er, weiter oben einfach noch ein paar Beispiele einzufügen: »Wenn das Herrl einmal schlecht aufgelegt ist, kriegt das unser vierbeiniger Liebling mit voller Wucht zu spüren. Gibt es aber auch ein Frauerl im Haus, so wird die üble Laune des Herrls dem Hund gar nicht auffallen, die konzentriert sich dann ganz auf das Frauerl. Das Gleiche funktioniert natürlich auch umgekehrt.« (Ein genialer Füllsatz, dachte Max.) »Und wenn die beiden einmal streiten, dann freut sich der Dritte. Und der Dritte ist ja fast immer unser lieber Hund.« Daran fügte sich nahtlos: »Und so gibt es Dutzende Beispiele des täglichen Lebens, die uns zeigen, wie viel schöner ein Hundeleben mit Herrl und Frauerl gemeinsam ist.

Schnauzbussi von Kurt, Adventsgrüße von Herrl Max.« – Geschafft! Kurt weckte Max auf und schleifte ihn, an Deneuve und Königsberger vorbei, aus dem Büro.

Von Katrin gab es keine Antwort. Auch Rodriguez hatte sich nicht gemeldet. Paula schrieb: »Schön, dass es dich auch noch gibt. Heute Abend ist uns leider zu kurzfristig. Sami muss arbeiten, ich bin mit Freundinnen verabredet. Aber am Wochenende ist Sami auf einem Seminar. Da hätte ich Zeit. Lass von dir hören. Paula.«

Und Natalie hatte geantwortet: »Hallo Max. Ich bin nicht beleidigt. Ich bin nur verwundert. Ich hatte dich eigentlich nicht so eingeschätzt, dass du dich von heute auf morgen schleichst (und übermorgen plötzlich wieder auftauchst). Ich habe dir sehr vertrauliche Dinge von mir gesagt – und hatte jetzt mehrere Wochen Gelegenheit, meine Offenheit dir gegenüber zu bereuen. Edgar hat heute ein Blockseminar. Ich habe also am Abend Zeit. Mein Interesse gilt jetzt weniger dir als deiner Erklärung. Ruf mich also an. Wenn ich dich hiermit verschreckt habe, lass es bleiben. Gruß, Natalie.«

Sie hatte ihn zwar nicht verschreckt, aber ihm war nun doch eher danach, es bleiben zu lassen. Bis 6 Uhr nachmittags wartete er auf eine Antwort von Katrin. Dann rief er bei ihr an, sprach ihr auf den Anrufbeantworter: »Kurt muss jetzt schon dringend. Lange können wir nicht mehr auf dich warten.« Kurt wollte natürlich nicht müssen. Er lag unter seinem Sessel und schlief. Max richtete sich bis 8 Uhr auf einen Heimabend mit Toast, Ketschup, Doris Lessing, Teletext, Cabernet Sauvignon und Herby Hankock ein. Dann fand er sich mit seiner Ruhelosigkeit ab und rief Natalie an. Er überließ ihr sogar noch den Heimvorteil. Ihr »Willst du mich nicht besuchen?« klang unverbindlich. Sonst hätte er nicht eingewilligt, zu ihr zu gehen. Kurt blieb daheim. Und bewachte das Haus. (Kleiner Scherz.)

Natalie hätte man niemals auf 22 geschätzt, obwohl sie klein, zart und mit einem kindlich anmutenden blonden Pagenkopf ausgestattet war. Sie hatte eine tiefe raue Stimme, altersweise braune Augen, die sie in der Minute fünfmal zusammenkniff, um die Altersweisheit unter Beweis zu stellen, und schmale Hände, die grazil vor ihrem Gesicht tanzten, um jede ihrer Aussagen zu bekräftigen, was gar nicht notwendig gewesen wäre. Ihre Aussagen waren kräftig genug. Ihr fehlte jede Spur von Naivität und jeder Ansatz einer Bereitschaft, Naivität vorzutäuschen, um schutzbedürftig zu wirken. Dieser Mangel machte sie jugendlich abgeklärt. Das gefiel Max an ihr.

Als kleines Vorprogramm zu seinen mit Spannung erwarteten »Erklärungen«, warum in aller Welt er sich ihr hatte verweigern können, erzählte sie von ihrer abgekühlten Liebe zu Edgar, dem Anglistikprofessor, der nicht fähig war, sich für sie zu entscheiden. Da »abgekühlt« und »Liebe« im Tonfall Natalies ein Widerspruch in sich war, ahnte Max, dass ihr der Professor noch immer sehr viel bedeutete, dass sie ihn keineswegs aufgegeben hatte, dass sie sich vielmehr für seine polygamische Lebensweise bei ihm rächen wollte. Als sie ihren Pullover auszog und wie sie ihn auszog und ihr Body darunter keiner war, den man zufällig anhatte, wusste Max, wann und mit wem sie sich bei ihrem Professor rächen wollte: jetzt und mit ihm.

Seine Entscheidung, ihr nicht die Wahrheit zu sagen, fiel, als sie »Also jetzt erkläre mir, was damals mit dir los war« sagte – und wie sie es sagte. Sie schmunzelte dabei. Sie rückte ganz nah zu Max und berührte sein Knie mit ihrem Handrücken. Sie verzichtete auf das misstrauische Zusammenkneifen ihrer Augen. Sie erwartete eine schmeichelhafte Antwort, spürte Max. Sie wollte hören, dass sie ihm zu selbstbewusst und anspruchsvoll gewesen war, dass er eine »unkomplizierte Geschichte« mit ihr angestrebt hatte und dass er plötzlich das Gefühl gehabt hatte, mit ihr sei nur eine »ernstere Sache« möglich; etwas in der Art.

Erstens verabscheute Max seinen zerstörerischen Stehsatz »Tut mir leid, mir graust vor Küssen«. Zweitens hatte er plötzlich das Gefühl, er könnte es diesmal schaffen. Der Wein war ihm zu Kopf gestiegen und hatte die Konturen seiner traumatisch im Hirn verankerten fetten Sissi aufgelöst. Und drittens: Ja, er war erregt. Sehr sogar. Er hatte das Bedürfnis, Natalie zu spüren, ihre Haut zu berühren, seine Hände um ihren Rücken zu schlingen, sie an den Hüften zu nehmen, fest an sich zu drücken, sich auf sie zu legen, seinen Körper an ihrem zu reiben, in sie einzudringen, ihr in die vor Begierde glänzenden Augen zu sehen, wie diese seine Erregtheit beobachteten und gleichzeitig stimulierten, anfeuerten und auf die Spitze trieben.

Sie war dazu bereit, sie lud ihn ein. Sie begann sich mit ihrem Oberkörper katzenartig auf sein Gesicht zuzubewegen. Sie senkte die linke Schulter und ließ den Träger des Bodys auf ihren Oberarm rutschen. Sie umfasste seine Handgelenke und drückte fest zu, um ihm das Gefühl des Gefesseltseins zu geben und ihn gleichzeitig dazu zu animieren, sich von den Fesseln zu befreien.

Und doch hielt sie ihn mit Worten noch einmal auf Distanz: »Also, was war damals los mit dir? Warum wolltest du mich nicht küssen?«, fragte sie beinahe stimmlos und mit gespieltem schwerem Atem. – Worte hätten jetzt alles zerstört. Für Max gab es nur eine einzige Erwiderung, die Natalie in dieser Situation akzeptiert hätte, auf die sie wahrscheinlich auch wartete. Da blieb nur die eine Möglichkeit, seine Begierde stillen zu dürfen, nur dieser eine Schlüssel zu ihrem Körper. Grausames Schicksal: Max musste Natalie küssen.

Er schloss die Augen und näherte sich ihrem Mund. Er spürte es warm und weich an seinen Lippen, als immer mehr Fläche davon bedeckt wurde. Ein erster Schub eines flauen Gefühls stieg ihm vom Magen hoch. Max hielt sich zunächst krampfhaft an ihren Schultern fest und tastete sich dann zur Ablenkung an ihre Brüste heran. Doch Natalie schnappte seine Hände und legte sie zu den Schultern zurück. Diese Geste war eindeutig: Der Kuss hatte für sich zu stehen, Vorgriffe waren nicht erlaubt. Natalies Leidenschaft verlangte ein Mindestmaß an Beherrschtheit. Ihre Hingabe war intuitiv organisiert. Selbst am Weg zur Ekstase gab es eine Reihenfolge von Stationen, die eingehalten werden musste. Erste und wichtigste Station: der ekstatische Kuss.

Max spürte ihre Zunge an seinen Zähnen, wie sie versuchte, seine zu finden. Ein erster eindeutiger Schub von

Übelkeit stieg in ihm hoch. Er riss die Augen auf und sah dieses schöne entspannte Gesicht, das nichts von seiner aufkommenden Verzweiflung ahnte. Natalie war in sich versunken, bei ihr ging bereits alles ohne Denken, ohne Absicht, ohne Hindernis. Sie gab sich dem Erlebnis hin. Für sie war küssen purer Sex.

Ihre Zunge hatte seine berührt und erste Kreise darum gezogen. Max spürte den alten erbarmungslosen Kampf in sich, Erregung gegen Übelkeit. Ein zweiter Schub aus der Magengegend verriet ihm, wer gleich wieder der unumstrittene Sieger sein würde. Er riss sich von Natalies Mund los und ließ sich im Sofa zurückfallen. Er wusste, was er sich und ihr jetzt nur ja nicht antun durfte – und wartete in depressiver Ohnmacht darauf, dass es eintrat.

Natalie war unfähig, das Problem zu erkennen und ahnte nicht, in welcher Gefahr sie sich befand. Sie bewegte sich auf den willenlos Liegenden zu, beugte sich über ihn, streifte ihren Body bis zu den Hüften hinunter, nahm seine Hände, führte sie zu ihren Brüsten und presste sie dort fest an. Max konnte zweimal tief durchatmen, genoss für einen Augenblick das Gefühl in den Händen und seine es verursachende starke Erregung, ehe er ihre Zunge wieder in seinem Mund spürte.

Nun stand ihm das Vermächtnis der fetten Sissi bereits bis zum Hals. Er versuchte panikartig einen Schaltknopf in seinem Gedächtnis zu finden, der ihm ein Notprogramm einspielte. Fußball, Papstbesuch, Erdbeben, Wetteraussichten, Deneuve, Kurt, Zähneputzen, Kreuzworträtsel … Die Bilder tauchten wie bei einem Diavortrag im Zeitraffer auf und verschwanden. Natalie hatte seine Wangen zangenartig umfasst und duldete keine Bewegung seines Gesichtes mehr. Ihre Zunge schleuderte wild und feucht herum und spielte in seinem Mund Verstecken und Fangen.

Max war halb bewusstlos vor Übelkeit und der Angst vor ihren unausweichlichen Folgen. Wenn ihn Katrin so sehen würde. Würde sie schreien? Würde sie lachen? Hätte sie Mitleid? Würde sie ihn trösten? Seine Gedanken fanden plötzlich Halt. Max sah sie mit ihren schwarzen kurzen Haaren, wie sie ihm die Hand schüttelte und dabei anmutig mit dem Kopf nickte. »Hast du's schon einmal mit Stachelbeeren probiert?«, fragte sie ihn und hob dabei kokett die Augenbrauen. – Da hatte sie Recht. »Stachelbeerkuchen« klingt fast noch besser als »Birnenkuchen«, dachte Max. »Und Stachelbeeren schmecken eigentlich noch mehr nach gar nichts als Birnen«, meinte Katrin. – Natalie unterbrach ihren Kuss, leckte sein Gesicht, öffnete seine Hemdknöpfe, fuhr ihm mit kühlen gierigen Fingern in die Hose. Das Doppelklicken mussten die Druckknöpfe ihres Bodys gewesen sein. Die kalten Finger arbeiteten flink und professionell und verabschiedeten sich, als kein Platz mehr für sie da war. Ihr »jaaa« war lang, heiser und erwartungsvoll gehaucht. Sie saß auf ihm, er war in ihr.

Er schloss die Augen und ließ seine Hände wie ferngesteuert alles tun, was ihr Seufzen und Stöhnen verstärken konnte. Ihm juckte der Angstschweiß im Gesicht, ein paar heftige Übelkeitsattacken hatte er bereits erfolgreich hinuntergewürgt. So lange hatte er sich noch nie gehalten. Ihre Bewegungen auf ihm wurden heftiger. Wieder konnte er kurze Zuckungen der Lust genießen. Da kam ihre Zunge auch schon seinen Hals hinaufgekrochen. Er presste sein Kinn hoch, um ihr den Weg abzuschneiden. Die Hürde nahm sie mühelos. Das Kussmartyrium ging weiter.

Max standen die Tränen in den Augen. Er versuchte es ein zweites Mal mit der Flucht zu Katrin. Wie war der Traum? Wo war er stehen geblieben? Katrin wollte Kurt und war dafür bereit, Max jeden Wunsch zu erfüllen. »Also sag schon, was soll ich tun?«, fragte sie ihn. Aus den Sehschlitzen ihres gelben Raumanzugs leuchteten ihre mandelförmigen Augen. (Hatte sie mandelförmige Augen?) »Du legst dein Hände auf meinen Nacken und fährst mit allen zehn Fingernägeln ganz langsam meinen Rücken herunter«, dachte er sich sagen. Wie sie ihn ansah! »Würdest du das für mich tun?«, dachte er sich fragen. – Da warf sie ihm einen durchdringenden Blick zu, holte Luft und schrie und hörte nicht mehr auf zu schreien: »Jaaa. Jaaa. Jaaa ...« – Natalie bäumte sich auf, riss den Kopf zurück, presste ihre Beine um seine Hüften, spreizte ihre Finger und stützte sich mit den Handballen an seinen Schultern ab. Noch dreimal, langsamer, nicht mehr so laut, schon etwas mehr bei Sinnen: »Jaaa. Jaaa. Jaaa.« Dann ließ sie sich erschöpft auf ihn fallen und legte ihr überhitztes Gesicht an seine Brust.

Max spürte, wie die Übelkeit ihren Spiegel senkte und an Stärke verlor. »Das war heftig«, hauchte Natalie. Sie hatte nichts bemerkt. Max weinte vor triumphaler Freude und ausgestandener Angst. Sicherheitshalber ließ er die Augen noch eine Zeit lang zu. Sicherheitshalber blieb er mit seinen Gedanken noch ein bisschen bei Katrin. Hätte sie es getan?

13. Dezember

Katrin wachte auf und fragte sich, wozu. Es begann ein Tag, von dem sie schon mit geschlossenen Augen wusste, dass er nicht heller werden würde, wenn sie die Augen öffnete. An solchen Tagen opferte man die Geborgenheit unter der Bettdecke für die Gewissheit, dass es außerhalb nichts Befriedigenderes geben würde, als Pflichten zu erledigen. An solchen Tagen unternahm man hundert Anläufe sich einzubilden, dass man es gut erwischt hatte, dass alles in Ordnung sei, dass man sich nicht beklagen dürfe. Das war das Allerschlimmste an solchen Tagen: Sie ödeten einen ununterbrochen an, vom Zeitpunkt des unseligen Aufwachens bis zur rettenden Umklammerung des Kopfpolsters in der darauf folgenden Nacht, und man durfte sich nicht beklagen, denn man hatte es gut erwischt.

Man war zum Beispiel Augenarztassistentin und durfte sechs Stunden optisch-soziale Fließbandarbeit verrichten, musste sich dabei seine gute Laune wie mit einem Schraubschlüssel an der dafür verantwortlichen Stelle des Gehirns aufdrehen, um den Patienten kundenservicemäßig zu veranschaulichen, was aus so einem gottverdammt finsteren Dezembertag an Heiterkeit und Lebenslust herauszuquetschen sei. Dafür erntete man bestenfalls Lob nach Schema Werbeprogramm, für blendend weiße Zähne oder strahlend grüne Augen, häufiger aber noch Neid, weil die mieselsüchtige Menschheit glaubte, man hätte es, heiter und lebenslustig, wie man sogar noch an solchen Tagen zu sein schien, ganz besonders gut erwischt.

Katrin wachte auf und wünschte sich sofort ein Stück Birnenkuchen, um den bitteren Geschmack der sinnlos mit ihr aus dem Schlaf gerissenen Vorweihnachtszeit hinunterzuschlucken. Sie war trotzig wie ein kleines Kind, sie zappelte im Bett und ihr war nach weinen zumute, weil es niemanden gab, der ihr am Beginn dieses Tages, der nur zum Vergehen da war, ein Stück Birnenkuchen in den Mund schob und ihr über die Haare fuhr. Warum rief er nicht an? Warum lud er sie nicht wieder ein? Warum nicht jetzt? Worauf wartete er? Sie hatte nur noch eine Stunde Zeit. Sie hatte es ja gut erwischt und durfte in Kürze den ersten ihrer zwei Dutzend anstehenden Patienten begrüßen.

Seine E-Mail hatte sie erst am späten Abend gelesen. Ja, sie wäre gern mit Hund und Herrl in den Esterhazypark gegangen, sie mochte diesen Kurt, wie er nichts tat, und diesen Max, obwohl er nichts tat. Oder weil er nichts tat? Sie mochte den Nebel, aber sie mochte ihn nicht allein (da hatte sie Angst vor seiner umhüllenden Tristesse), nur in Begleitung, und nicht in irgendeiner Begleitung. Es wäre ein schöner Spaziergang gewesen und nachher hätten sie ja noch etwas trinken gehen können, Glühwein, ja, warum nicht Glühwein, warum nicht rot anlaufen vor innerer Hitze. Bei Max konnte man bestimmt rot anlaufen, ohne sich dafür zu genieren.

Stattdessen war sie wegen eines »akuten Notfalls« bei Beate gesessen. Joe hatte ihr seine aktuelle Frauengeschichte verraten. Katrin riet ihr, ihn endlich stehen zu lassen. Beate fragte Katrin, was sie falsch mache. Katrin dachte »alles« und sagte: »Wird schon werden.« Die traditionelle Zeremonie dauerte drei Stunden. Als Belohnung gab es zwischendurch Spaghetti Bolognese nach Beates Art. Katrin ging hungrig und leer nach Hause.

Am Abend hatte er ihr noch einmal aufs Band gesprochen. »Kurt muss jetzt schon dringend. Lange können wir nicht mehr auf dich warten.« Katrin hatte seinen Spruch gespeichert und dreimal hintereinander gehört. Und vor dem Schlafengehen hatte sie ihn noch einmal gehört. Es war ein schöner Spruch, Max hatte eine angenehme Stimme. Als Kind hatte sie sich immer Spieluhren ans Ohr gelegt. So ähnlich klang der Spruch für sie. Seine Stimme hatte Melodie. Oh doch, er war – nett. Und er hatte einen netten, ruhigen Hund.

Im Wartezimmer – und das passte zu dem Tag – saß Aurelius. Katrin erkannte ihn schon an der Art, wie er Zeitung las. Wenn einem Bildhauer die ruhmreichen Posen ausgegangen waren, dann musste er nur Aurelius sehen, wie er Zeitung las, und schon hatte er die ideale Vorlage für ein monströses Denkmal eines Vertreters der obersten Bildungselite.

Der lesende Aurelius hielt die Linke heldenepisch vor die Brust, bildete aus den Fingern eine Trinkschüssel und legte den Ellbogen des rechten Armes so hinein, dass der Unterarm senkrecht in die Höhe ragte und der Zeigefinger nur wenige Zentimeter vor der rechten Schläfe des seitlich gebeugten Kopfes endete, während der Daumen in der Kinngrube einrastete. Das Gesicht des lesenden Aurelius wirkte in seiner vollen Konzentration geradezu schmerzverzerrt. Man sah einen Mann, der las, um zu denken, und dem dieses Denken unweigerlich weh tun musste, weil sein Gehirn mit Wissensinhalten und Lebensweisheiten bereits prall gefüllt war.

Las er nun Zeitung – und es war stets das größte Format einer Zeitung, das da vor ihm lag –, so drängten pausenlos neue Ansichten und Gesichtspunkte in die mit Erkenntnisreichtum bereits vollbesetzten Ganglienzellen. – Diesen

Druck sah man Aurelius an, deshalb das schmerzverzerrte Gesicht. Linderung wäre erst eingetreten, hätte Aurelius die Möglichkeit gehabt, überschüssige Erkenntnisse an Zuhörer abzuladen, ihnen ein bisschen etwas von der Welt zu erklären. Aber zum Weitblick-Schärfen der geistig unterprivilegierten Menschheit war der Warteraum einer Augenarztpraxis nicht der richtige Ort. So las er für sich, litt dabei vor stiller Weisheit und wartete auf seinen Termin.

Katrin wusste natürlich, dass er wegen ihr gekommen war. Seit es aus war zwischen ihnen, das heißt: seit Katrin klar war, dass es nicht anfangen würde, kam er alle paar Wochen. Zunächst schob er Gebüschzeilen von dunkelroten Rosen via Boten vor, um am nächsten Tag als zweite, noch originellere Überraschung persönlich vor der Tür zu stehen. Als Katrin zweimal hintereinander »leider nicht alleine« war und ihn mittels Sprechanlage abfertigte, disponierte er um und besuchte sie in der Praxis von Dr. Harrlich. Es hatte für ihn den zweifelhaften Vorteil, dass sie ihm dort in die Augen schauen musste, wenn sie sagte: »Aurelius, du weißt, ich mag dich, aber das wird nichts aus uns beiden.« Er bezahlte dafür per Krankenschein.

Die schöne Zeit mit Aurelius lag genau ein Jahr zurück (und hatte elf Tage gedauert). Sie lernten einander im Einkaufszentrum Süd kennen. Dort war ein Weihnachtsmann beim Verteilen von Werbegutscheinen umgekippt. Die Kinder lachten und auch die älteren Passanten fanden die Showeinlage gut. Katrin beugte sich über den Liegenden und befreite ihn von seiner Vermummung. Eine hochprozentige Rum-Wolke entwich. Der Weihnachtsmann war betrunken und bewusstlos. »Ist ein Arzt hier?«, rief Katrin in die geschockte Menge. – Nein, es war keiner da. Nur ein wunderschöner Mann mit goldbrauner Gesichtsfarbe im dunkelgrauen

Sakko über einem hellgrauen Gilet über einem weißgrau gestreiften Hemd unter einem schwarzgrauen Wintermantel, alles mindestens Versace (außer der Gesichtsfarbe, die stammte aus dem Solarium). Es war Aurelius.

Er hob den Nacken des Weihnachtsmannes, Katrin tätschelte sein Gesicht. Aurelius pumpte an der Brust des Scheinheiligen, Katrin untersuchte dessen Augen. In zehn Minuten hatten sie ihn wieder bei Bewusstsein, eine halbe Stunde brauchten sie, um ihn an eine Wand zu lehnen, an der er Halt finden konnte. Danach lud der Helfer die Helferin auf ein Glas Sekt ein.

Für den nächsten Abend hatte er Konzertkarten. Am dritten Abend führte er sie ins Theater. Anschließend zeigte er ihr bei einem so genannten Jahrgangs-Champagner (hatte nicht jeder Champagner einen Jahrgang, fragte sich Katrin) einige Räumlichkeiten seiner zweihundert Quadratmeter großen Dachetagenwohnung. Ihr blieb der Mund offen, und sie war beschwipst. Er nützte die Situation nicht aus, obwohl es sie nicht gestört hätte. Er brachte sie nach Hause und lieferte sie vor dem Haustor ab, obwohl er gern hätte mitgehen können. Er verabschiedete sich mit Handkuss, obwohl sich Katrin schon in unangebrachteren Momenten zu einem Kuss hatte hinreißen lassen. Das konnte Liebe werden, dachte Katrin.

Die Schulmeister-Hofmeisters trauten ihren Ohren nicht, als sie von Aurelius erfuhren. Das war am vierten Abend. »Es ist noch zu früh, etwas zu sagen«, verriet sie sich am Telefon. »Goldschatz, was ist er?«, fragte die Mutter, dem Herzinfarkt nahe. »Mama, er ist nicht, er hat«, erwiderte Katrin und zählte auf. Ihr selbst war sein Besitztum egal bis höchstens angenehm. Aber sie wusste, wie sehr die Eltern den Wert ihrer Tochter (und somit den Wert ihrer Erziehung) an der materiellen Ausstattung des potenziellen

Schwiegersohnes maßen. Nach fünf Minuten musste der Vater den Hörer übernehmen. Die Mutter brauchte beide Hände für ein Dankesgebet an den Schöpfer.

Am fünften Abend erklärte er Katrin im teuersten Haubenlokal der Stadt, zu Rehmedaillons, dem vierten Gang des Degustationsmenüs, die Liebe. Erstens erklärte er, was Liebe war. (Es fielen Ausdrücke wie »Nestwärme«, »schützende Hand«, »Seite an Seite kämpfen«, »Treue bis in den Tod«, »Altersvorsorge«, »Stammbaum« und »gemeinsames Erbe«. Sex war nicht dabei.) Zweitens erklärte er, dass er sie liebte.

»Ist das nicht ein bisschen früh, so etwas zu sagen?«, fragte Katrin und freute sich schon auf den noch ausständigen gemischten Dessertteller. »Liebe ist nicht früh oder spät«, erwiderte Aurelius und putzte mit der Stoffserviette etwa zehn Sekunden an jedem Mundwinkel. »Liebe ist, oder sie ist nicht.« Er hob sein Kinn, bis der Nasenrücken parallel zur Tischplatte stand, fasste Katrin an beiden Händen und hauchte vervollständigend: »Und sie ist!«

An diesem Abend saßen sie noch lange an einem seiner beiden offenen Kamine und starrten gemeinsam ins Feuer. Dabei erklärte er ihr Teile der Welt. Sie hörte interessiert zu und redete nur in unbedingten Notfällen dagegen, zum Beispiel beim Thema »Arm und Reich«. Dazu wusste er, dass in dieser Welt kein fleißiger Mensch arm sein musste. Katrin wollte die harmonische Stimmung nicht gefährden, sie zählte nur fünf Gegenbeispiele auf und erwähnte einige afrikanische Länder. Man einigte sich darauf, dass kein fleißiger Sohn eines Millionärs arm sein musste.

Unterschiedlicher Ansicht waren sie auch, was den außerehelichen Beischlaf anlangte. Darum ging es am sechsten gemeinsamen Abend. Da machte ihr Aurelius einen Heiratsantrag. Sie lachte halbsüß (es war eine Mischung aus geschmeichelt und bedrängt) und fragte liebevoll: »Bist du verrückt?« Und fügte hinzu: »Wir haben ja noch nicht einmal miteinander geschlafen.« – Eben, darum freue er sich ja auch schon so sehr auf die Hochzeitsnacht, stellte sich sogleich heraus. »Ich kann es gar nicht erwarten«, gestand er ihr mit einem unbeabsichtigten Ausdruck von Schalk in den Augen.

»Ich heirate sicher nicht in den nächsten zwei Jahren«, sagte Katrin, so zärtlich der Inhalt der Worte es zuließ. Aurelius räusperte sich und griff an die Innenseite seines Sakkos, als wollte er einen Kalender zücken. »Ich glaube, wir sollten die Sache einmal überschlafen«, erwiderte er nobel brüskiert und zwang sich zu einem tapferen Lächeln. Als sie gerade ausreichend Luft geholt hatte, um ihn zu fragen, ob sie bei ihm nächtigen dürfe, fragte er: »Darf ich dich nach Hause bringen?« – »Ja, das wäre nett«, antwortete sie. Bei der Verabschiedung gab es überraschenderweise einen Kuss auf den Mund. Das heißt: Ein Kuss war es zwar nicht, aber die Richtung stimmte.

Katrin musste sich eingestehen, dass sie die Situation als aufregend empfand und dass sich Aurelius mit seiner »Hochzeitsnacht« interessanter gemacht hatte als durch seine angeborene Weltweisheit und den geerbten Komfort. Es reizte sie, ihn zu verführen. Nein: Es reizte sie, ihn zu reizen, sie zu verführen. Das war ihr Programm der Abende sechs bis zehn; nichts Anspruchsvolles, eher ein Unterhaltungsprogramm. Bei der Auswahl der dazu passenden Garderobe fiel ihr erst auf, wie viel Gewand sie nicht für sich selbst gekauft hatte.

Um es zu verkürzen: Aurelius wusste bald nicht mehr, wo er seine Blicke ruhen lassen und seine Finger verstecken konnte. Er war verwirrt. Er erzählte nur noch Halbweisheiten; er war von Katrins körperlichen Provokationen so betört, dass er seine Ausführungen mitten in Schlüsselsätzen beendete. Er legte die größten aller großformatigen Zeitungen zur Seite, um sie anzustarren. Er abonnierte ihre Hände für Streichelorgien. Er schickte ihr Kussmünder in Sekundenintervallen. Er himmelte sie an.

Er lud sie von nun an täglich ein, bei ihm zu übernachten. (Sie sagte täglich zu.) Wenn sie sich auszog, drehte er sich um. Es gab heftige Umarmungen im Bett. Er schnaufte zwar und seufzte und stöhnte, aber er berührte sie nie so, dass ihm dabei die Bremswirkung seiner Prinzipien versagte. Und sie blieb zu stolz, seine Bremsen händisch zu lösen. (Ein Griff wäre es gewesen, ein einziger.) So ließ sie ihn unter seiner auferlegten Askese leiden und genoss es, ihn dabei zu beobachten. Auch das war Erotik. Auch das war Sex. Auch das konnte Liebe sein oder werden, dachte sie.

Der elfte Abend mit Aurelius war der heilige – und zugleich Katrins 29. Geburtstag. Er fiel insofern aus dem Rahmen, als sie ihn im Hause Schulmeister-Hofmeister verbrachten, um nicht zu sagen »feierten«. Katrin hätte Aurelius nie mitgenommen, hätte er nicht darauf bestanden. Und sie hätte ihren Eltern nie einen Mann im Stadium des »Verehrens« zum »Stille-Nacht-Gesang« vor den Christbaum gestellt, hätten sie nicht förmlich darum gebettelt.

Gleich bei der Begrüßung war Katrin klar, wie sich der Abend entwickeln würde. Die Mutter fiel der Tochter weinend um den Hals und sagte: »Goldschatz, du weißt gar nicht, wie glücklich du uns machst.« Der Vater legte Aurelius den Arm um die Schulter und setzte einen vermutlich stundenlang vor dem Spiegel trainierten »Gratuliere-sie-gehört-jetzt-dir-sei-gut-zu-ihr«-Blick auf.

Anschließend wurde Aurelius durch die Räume der Altbauwohnung geführt, als stünde er unmittelbar vor der Übernahme derselben. Die Mutter startete eine erstaunlich lange Serie von Sätzen, die mit »Und da hat unsere Kleine immer« begannen. (Dann kam je nach Örtlichkeit: Barbie gespielt, Keksi genascht, Lulu gemacht und so weiter.)

Der Tisch war wahrscheinlich seit einer Woche für diesen Anlass geschmückt worden. Die Gedecke von Katrin und Aurelius waren etwa drei Millimeter voneinander getrennt. Aus den roten Servietten hatte Frau Schulmeister-Hofmeister Herzen geschnitten, die einander berührten.

Während des Essens erzählte die Mutter, wie man gute Weihnachtsgänse von schlechten Karpfen unterscheiden konnte, oder so ähnlich, und warum Katrin als Kind weder Gans noch Fisch gegessen hatte. (Weil sie sich von Schokobananen ernährt hatte.) Es waren Erzählungen, bei denen sich Zuhörer Gesichtsmuskelzerrungen einfingen, weil sie ein einmal aufgesetztes Lächeln nie mehr abbrechen durften, weil eine darauf gerichtete »lustige Geschichte« die nächste jagte. Mutter Schulmeister war eine begnadete Erzählerin solcher Geschichten.

»Und warum isst du heute nichts, Goldschatz?«, fragte sie in einer Pause. »Mir ist nicht besonders gut«, erwiderte Katrin. »Ja, die Liebe!«, sagte der Vater, zwinkerte der Mutter diabolisch zu, boxte Aurelius auf den Oberarm. Und alle drei lachten.

Sonst konzentrierte sich das Geschehen ganz auf den neuen Mann. Als er eine dritte Portion Rotkraut ablehnte, war die Mutter drauf und dran, sich aus dem Fenster zu stürzen. Nach dem Essen stimmte der Vater, bereits mit schwerem Zungenschlag vom Campari (bei dem er hängen geblieben war, weil niemand Wein trinken wollte), eine feierliche Tischrede an. Dazu verwendete er die Hand des jungen Mannes und schüttelte sie durchgehend: »Lieber Aurelius, wir freuen uns, dich hier und heute in unsere Familie aufnehmen zu dürfen. Nicht weil du eine Notariatskanzlei hast. Erfolg ist nicht alles. Geld ebenfalls nicht. Viel mehr zählt die Liebe. Glaub mir, du hast die beste Wahl getroffen, die du nur treffen konntest. Eine schönere und klügere Frau als meine Tochter wirst du nicht finden. Reden wir nicht lange herum, machen wir Nägel mit Köpfen ...« Die Mutter weinte. Aurelius tröstete sie. Katrin nützte die allgemeine Aufregung, um das Zimmer zu verlassen. Erst nach einer halben Stunde kam jemand nachsehen, wo sie geblieben war: auf der Toilette. Ihr war wirklich nicht gut.

Der Abend erfuhr noch eine Steigerung. Katrin kämpfte ihre Übelkeit mit Kognak nieder und verweigerte den Gesang von »Oh du Fröhliche«. Aurelius las zur Wiedergutmachung eine Weihnachtsgeschichte von Erich Kästner vor. Unter dem Christbaum lagen 18 Geschenke. Es lohnt sich nicht, ins Detail zu gehen: Katrin bekam von der Mutter die gesammelten Strickwerke des vergangenen Jahres und vom Vater einen himmelblauen Mikrowellenherd – mit dem Hinweis an Aurelius, er möge sich in Geduld üben; auch seine Frau Ernestine hätte das Kochen erst nach zehn Ehejahren erlernt. Die Männer lachten.

Die letzte Szene, die Katrin noch in Erinnerung hatte – sie hielt unbemerkt bei einer halben Flasche Kognak ein –, war die Übergabe eines goldenen Kolliers. Aurelius hängte es ihr plötzlich ansatzlos um den Hals. Es war so schwer, dass sie ihren Kopf kaum noch aufrecht halten konnte. Als die Mutter das Schmuckstück sah und die Anzahl der Karat erfuhr, traten ihr die, Augen heraus. Katrin blickte apathisch in die Runde der Bestauner. »Das Kind ist sprachlos«, tröstete der Vater den Spender. »Jetzt gib ihm aber einen ganz, ganz dicken Kuss, Goldschatz!«, forderte Mutter die Beschenkte auf. Einen Tag später erfuhr Katrin, dass sie als Antwort »Nur über meine Leiche« gelallt haben soll, ehe sich ihr Kopf auf den Tisch gesenkt hatte.

Der zwölfte Tag war schon einer zu viel. Sie wachte im Bett neben Aurelius auf und musste sofort weg. Sie hatte das Gefühl, drei Köpfe zu spüren, die unter jeweils starken Schmerzen das Gleiche dachten: Verrat, Betrug, Verkauf, Schande. »Was machst du?«, fragte Aurelius schlaftrunken. »Ich gehe«, erwiderte Katrin. »Wohin?«, fragte er. »Nach Hause«, antwortete sie. »Du bist hier zu Hause, mein Schatz«, meinte er. »Das ist ein Irrtum«, murmelte sie. »Ich liebe dich nicht.« Das Kollier ließ sie zurück. Es wäre das Halsband gewesen, an dem ihr Aurelius die Leine anlegen wollte. Und die Eltern hätten sich mit der artgerechten Haltung ihrer Tochter im Goldkäfig einen Lebenswunsch erfüllt. Das war für Katrin noch bitterer als die neuerliche Desillusion von Liebe.

»Besser oder schlechter?«, fragte Katrin. »Schlechter«, sagte Aurelius. »Und jetzt?«, fragte Katrin. »Schlechter«, erwiderte Aurelius. »Okay, alles in Ordnung, du brauchst nach wie vor keine Brille, wie schon vor drei Wochen«, sagte Katrin gelangweilt und hielt ihre rechte Hand im Anschlag, wie das Ärzte tun, für die Patienten da sind, um verabschiedet zu werden.

»Ich war bei deinen Eltern«, sagte Aurelius. Diese gefährliche Drohung verlor innerhalb des Jahres durch stete Wiederholung ihre Wirkung. »Sie meinen, es geht dir nicht besonders gut«, sagte Aurelius mitleidig. – »Meinen sie das?«, fragte Katrin. »Sie sagen, du bist sehr einsam«, verriet Aurelius. »Sie müssen es ja wissen«, antwortete Katrin mit zugekniffenen Augen.

»Denkst du gar nicht an unsere Zeit vor genau einem Jahr?«, fragte Aurelius und berührte ihre Schulter. »Nicht jede Minute«, erwiderte Katrin. »Ich fühle mich so …« Katrin wusste, wie er sich fühlte, auch wenn er nicht dazu kam, es zu sagen. Das Telefon läutete. Und Katrin empfand die Situation als gegenteilig zu einer, in der man ein Telefon nicht läuten hörte oder es läuten ließ.

Es war Max. Wieso wusste er, dass er es sein musste, dass dies gerade ihr größter Wunsch war? Ihr wurde von innen nach außen heiß. Vermutlich hatte sie rote Wangen. Aurelius durfte sie strafweise so sehen. Hatte er sie überhaupt schon einmal so strahlend gesehen?

Sie sagte: »Wirklich?« Das war schon eine Art Jubelschrei. »Ja, gern, sehr gern sogar«, hörte er sie sagen. Ihre Telefonstimme war zittrig. Sie hatte Mühe, ihre plötzliche Aufregung zu verbergen. »Es kann ruhig später sein, ich hab morgen keine Ordination«, sagte sie. – »Ja gut, um neun.« – »Also dann, bis morgen.« – »Nein, ich sag nicht ab.« – »Nein, sicher nicht.« – »Ich freu mich.« – Ah, wirklich.« – »Sehr sogar.« – »Also dann.« – »Dir auch.«

»Wer war das?«, fragte Aurelius in gespielter Ruhe, die weltmännische Toleranz signalisieren sollte. »Ach, nur ein Freund«, sagte Katrin und freute sich über die offensichtliche Schamlosigkeit ihrer Untertreibung. »Du bist wunderschön, wenn du glücklich bist«, sagte Aurelius. Jetzt tat er ihr leid. »Wollen wir nicht diese Woche einmal ins Kino gehen?«, fragte sie. Sie war selbst verblüfft über ihre Verwandlung. Plötzlich mochte sie ihn und wollte ihm Gutes tun.

»Telefonieren wir morgen«, schlug sie vor und drängte zur Ausgangstür. (Der Wartesaal war voll mit Patienten.) »Ich ruf dich an«, sagte er, ging ein paar Schritte auf die Tür zu, drehte sich um und fragte untrainiert beiläufig: »Und morgen hast du ein Rendezvous?« – »Aber nein«, sagte sie und lachte laut auf. »Ich bin nur bei einem Freund zum Frühstück eingeladen.« Aurelius lächelte verunsichert. »Er will, dass ich seinen Stachelbeerkuchen koste«, rief ihm Katrin nach.

14. Dezember

Wenn Kurt irgendwas verstand, dann am ehesten Spaß, dachte Katrin. Als Gastgeschenk hatte sie für ihn eine Leberkäsesemmel aus Plastik ausgesucht, die wieherte, wenn man hineinbiss. Das Wiehern sollte eine akustische Anspielung darauf sein, dass es sich bei dem Leberkäse um Pferdeleberkäse handelte.

Max hätte sie beinahe einen Pin-up-Kalender mit persönlicher Widmung »Zur Anregung der Kreativität und Förderung der Arbeitsleistung« mitgebracht. Aber dafür war es noch zu früh, dachte sie. Es war wohl mehr ihr Übermut, in dieser trostlosen Zeit so große Freude über eine so simple Sache wie eine Einladung zu einem Frühstück entwickeln zu können. Vielleicht hatte Max ja auch wirklich ein Problem. So brachte sie ihm besser eine Packung Kürbiskerne mit Vanillegeschmack mit.

Draußen schneite es in dicken Flocken. Als Kind hatte Katrin abends oft stundenlang am Fensterbrett gelehnt und angespannt das strichlierte Laternenlicht fixiert. Und wenn sie in der Nacht aufwachte (oder wenn sie vor Aufregung gar nicht eingeschlafen war), musste sie nachsehen, ob der flimmernde Kreis um das Licht noch vorhanden war, ob das Schwirren der Flocken zugenommen oder nachgelassen hatte.

Im Laufe der Jahre hatte sich die Symbolkraft des Schneefalls in den Bereich der negativen Gefühle verschoben. Katrin hatte den Schnee durchschaut. Er war trügerisch. Er kam im Anflug auf romantisch daher, aber sowie er den Boden berührte, bekannte er sich dazu, sinnlos und überflüssig zu sein. Die Zeit, in der sich Katrin den Schnee wegwünschte, war um ein Vielfaches länger als jene, in der sie ihn ersehnte. Die Intervalle wurden von Jahr zu Jahr größer.

Im Esterhazypark, auf dem Weg zu Max und Kurt, schloss sie für wenige Minuten Frieden mit dem Winter. Sie schob die Kapuze zurück, ließ ihre Haare weiß bedecken und sich die Flocken vom Wind ins Gesicht treiben. Sie schloss die Augen und fühlte sich jung. Sehr jung. Ihr war, als wäre sie ein Kind geblieben.

Kurt lag unter seinem Sessel und schlief. Als Katrin eintrat, wachte er nicht auf. Als sie ihm mit der Plastikleberkässemmel ins Ohr wieherte, ebenfalls nicht. Die Wohnung war warm und hell, sie machte es einem unmöglich, melancholisch zu werden, dachte Katrin. Sie war weder eingerichtet noch ausgestattet, sondern es war dem Zufall schöner und potthässlicher Einzelstücke überlassen, etwas daraus zu machen. Und das war ihnen gelungen. Die Wohnung war das Gegenteil von stillos; sie hatte zu viele Stile auf einmal. Dem Mobiliar sah man die unterschiedlichen Stimmungslagen des Käufers bei der jeweiligen Anschaffung an. Einmal wollte er günstig kaufen, dann praktisch, dann bunt, dann edel, einmal avantgardistisch, dann exquisit, dann wieder so, dass seine Urgroßeltern »spießbürgerlich« dazu sagen würden.

Auf dem hellen Parkettboden im Wohnzimmer lagen drei Teppiche aus unterschiedlichen Kontinenten, die sich farblich bekriegten. (Europa verblasste, Asien verkroch sich, Südamerika siegte.) Dem mahagonibraunen Kleiderschrank sah man an, dass er zu groß und schwer war, um zum Fenster hinausgeworfen zu werden, was ihm gebührt hätte. Das geeignete Wortpärchen, mit dem sich Gäste angesichts solcher Holzmonumente des Grauens aus der Affäre ziehen konnten, hieß »notwendiger Stauraum«.

Nett waren die kleinen Kommoden, Kästchen und Tischchen, die man von weitem für Antiquitäten halten konnte. An den Wänden hingen kitschig-schräge Landschaftsmalereien und eine monströse Kuckucksuhr ohne Kuckuck, dafür mit stündlich auftauchenden Figuren aus der hellenistischen Mythologie. Katrin erkannte an den fehlenden Vasen, Lampen, Kerzenständern und sonstigen Ziergegenständen, dass dem Haushalt die Verspieltheit des Einrichtens und die Liebe zum Detail fehlte, also die Frau.

Das wärmste Eck des Wohnzimmers bog sich weich in einer mondänen orangeroten Rauledergarnitur, vor der ein schmerzhaft-rustikaler, mit Schieferplatten bedeckter und mit Eichenholz umrandeter Couchtisch stand. Der Jugendstilschreibtisch war das vielleicht edelste Stück des Wohnraums. Ohne Bedeckung mit Pin-up-Girls kam er noch besser zur Geltung, dachte Katrin. Beinahe hätte sie es ihm gesagt.

Max stand in seiner kleinen Küche, die nach »einmal in der Woche Ham and Eggs aus der Hand eines verkaterten Junggesellen« aussah. Aber sie roch nach Großmutter. Es war der Geruch von Stachelbeerkuchen, nein, es war der Geruch von Kuchen. Stachelbeeren rochen nach nichts.

»Woher hast du sie?«, fragte Katrin. Sie war mit dem unreinen Klang ihrer Worte unzufrieden. Sie konnte eine so angenehm tiefe Stimme haben, wenn sie souverän war, wusste sie – und dann dieses Gekrächze! Merkte er ihre Aufgeregtheit? Er erzählte irgendetwas von einem Markthändler, den er kannte und der ihm den Tipp gegeben hatte, es doch dort und dort zu probieren; »dort und dort« gab es aber keine, also versuchte er es …

Sie konnte sich nicht auf den Inhalt seiner Worte konzentrieren. Er hatte Stachelbeeren vom Ende der Welt geholt. Das hatte er für sie getan. Nur für sie. Für sie allein. Ein Schmuckstück kaufte einer von vielen Männern für eine von vielen Frauen. Aber einen Stachelbeerkuchen machte nur der eine, der das Stichwort kannte, nur für die eine, die es ihm hingeworfen hatte. Intimer konnte ein Geschenk nicht sein.

Er sah sie beim Reden an, sie musste wegschauen. Sie kam sich entlarvt vor, er ihr verwandelt. Seine Blicke okkupierten sie. Er war wie neu, wie plötzlich in ihr Leben getreten. Er beschäftigte sie. Sie begann ihn zu studieren. Er gefiel ihr. Sie staunte über sich, wie ihr ein Mann, der ihr zum ersten Mal bewusst begegnete, gleich so sehr gefallen konnte.

Sie verbrachten den halben Tag auf der orangeroten Eckcouch. Sie saßen gut zwei Meter auseinander und rutschten keinen Millimeter näher zusammen, sie, weil sie es nie tun würde, er, weil er es nicht tat. Kurt schlief durchgehend, Katrin liebte ihn dafür. Er war ihr Lieblingshund. Der Kuchen schmeckte nach nichts. Immer wenn Max: »Möchtest du noch ein Stück?« fragte, sagte sie: »Ja, gern, aber nur ein kleines.« Dazu trank sie acht Tassen Kaffee und zwei Liter Mineralwasser. Sie musste ständig konsumieren (und dazwischen regelmäßig die Toilette besuchen). Sie brauchte die stete Berechtigung dazubleiben. Sie wollte dableiben. Sie wollte nicht mehr fortgehen, und wenn sie bis an ihr Lebensende Stachelbeerkuchen und Kaffee und Wasser zu sich nehmen (und die Toilette besuchen) musste, um die Aufenthaltsberechtigung nicht zu verlieren.

Sie redeten über alles und nichts. Beides war spannend. Max war ein erfreulich schlechter Unterhalter, bemerkte Katrin. (Gute Unterhalter ließen einen nie zu Wort kommen, nach ein paar Stunden war ihr Programm zu Ende. Dann drückten sie auf die Wiederholungstaste und ließen ihre besten Geschichten noch einmal Revue passieren. Manchmal rangen sie sich für die jeweiligen Publikumsgäste noch eine zweite Zugabe ab. Danach war endgültig Sendepause. Dann musste rasch etwas Nonverbales passieren. Oder sie mussten die Zuhörer wechseln.)

Max war anders. Wenn er länger als zehn Sekunden von sich erzählte, begann sein Redefluss zu stocken, dann suchte er nach einem passenden Übergang und erteilte Katrin das Wort. Ihr blieb es erspart zu überlegen, was sie ihm sagen konnte. Er fragte gezielt nach allem, was ihn interessierte. Sie wunderte sich, wie wenig Geheimnisse sie vor ihm hatte und wie leicht es ihr fiel, persönliche und familiäre Dinge preiszugeben.

Irgendwann musste es kommen: »Und dein Freund?«, fragte Max. – Die Frage war fairerweise sehr allgemein gestellt. Katrin probierte: »Welchen meinst du? Ich habe mehrere sehr enge Freunde.« – »Dein fester Freund, der keinen Birnenkuchen mag.« Dies war unfairerweise sehr eindeutig formuliert. »Mit dem ist es schon vorbei«, sagte Katrin. Das war keine schlimme Lüge, oder? »Zahlt sich nicht aus, über ihn Worte zu verlieren«, fügte sie an. Jetzt war sie stolz auf sich, so rasch zur vollen Wahrheit gelangt zu sein.

»Und du?«, fragte sie, um ihren »Exfreund« endgültig zu tilgen. »Bei mir ist die Sache komplizierter«, erwiderte Max niedergeschlagen, und er begann, mit den Daumenkuppen die der Mittelfinger zu reiben, als würde er dazwischen etwas zerbröseln lassen. »Aber das erzähle ich dir ein anderes Mal«, sagte er und schaute demonstrativ auf die Uhr. Es musste etwa 5 Uhr sein. Draußen war es schon finster. Katrin kroch ein flaues Gefühl in den Magen. »Hast du noch etwas vor?«, fragte sie professionell freundlich, als wäre es ihr gleichgültig. »Ja, am Abend kommt eine Freundin zu Besuch«, sagte Max. Katrin vermeinte die Spitzen Dutzender Stachelbeeren an ihren Magenwänden zu spüren.

»Ist sie die komplizierte Sache?«, fragte sie. »Natalie? Nein. Sie ist die unkomplizierte Ausnahme von der komplizierten Sache«, erwiderte Max und lächelte wie jemand, der wusste, dass für niemanden lustig sein konnte, worüber er lächelte und wie er lächelte. »Was habt ihr für ein Verhältnis?«, fragte Katrin. (Was war in sie gefahren, solche Dinge zu fragen? Was war das für ein Ton?) »Ein sexuelles«, erwiderte Max leidenschaftslos und schaute ihr so tief in die Augen, dass er ihren Sekunden Verfall bemerken musste. – Das war keine gute Antwort, nein, das war wirklich keine gute Antwort, dachte Katrin. »Aber ganz anders, als du denkst«, ergänzte Max hastig. Zu spät. Katrin dachte nicht mehr.

Sie spürte einen Befehl in ihren Beinen, die Wohnung auf die schnellstmögliche unverdächtige Weise zu verlassen. »So spät ist es schon?«, rief sie geschockt im Aufspringen und tastete sich mit Gesprächsfetzen bis zum Ausgang. »Willst du schon gehen?«, fragte Max. Sie sah ihn nicht mehr an. Seine Stimme klang ängstlich, aber sie hatte jetzt nicht die Muße, darüber nachzudenken. Sie befürchtete einen Gefühlsausbruch. Sie wusste nicht einmal, was für ein Gefühl es war, aber sie spürte die Bereitschaft, es eskalieren zu lassen. Bei der Tür umarmte er sie und gab ihr zwei kurze trockene Küsse auf die Wangen. Sie taten ihr weh. »Wann sehen wir uns wieder?«, fragte er. »Ich melde mich«, erwiderte sie mit eiskalter Freundlichkeit. »Danke für Kuchen und Kaffee«, setzte sie mit grausamer Höflichkeit nach. »Bitte sehen wir uns bald wieder, ja?«, rief ihr Max nach. Sie reagierte nicht. Sie ließ die Steintreppen unter ihren Schuhabsätzen in abnehmender Lautstärke poltern. Es sollte nach »Das war es dann wohl« klingen.

Draußen schneite es noch immer dicht. Katrin vermummte mit dem Schal ihr Gesicht und begann durch den Esterhazypark zu laufen. Er hatte also ein unkompliziertes sexuelles Verhältnis. Gratulation! An ihren Beinen klebten schwere Klötze. Sie musste sie abschütteln. Sie musste schneller laufen. Sie musste sich hinter sich lassen. Sie musste von sich Abstand gewinnen. Sie spürte ein Stechen in ihrer Brust. Stachelbeeren, überall Stachelbeeren in ihr. Der Schal rutschte ihr unters Gesicht. Die Luft war grausam kalt. Keine Aussicht auf Wärme. Die orangerote Eckcouch war wohl schon wieder besetzt. Gratulation, Katrin, gut gemacht, gut erwischt!

Die Flocken peitschten und zerplatzten in ihrem Gesicht. Stachelbeeren, schwere, spitze, überreife Stachelbeeren. Aha, ein unkompliziertes sexuelles Verhältnis, aber ganz anders, als sie dachte. Sie dachte nicht, ihre Augen waren nass von außen und aufgeweicht von innen. Sie brannten. Stachelbeeren, Körbe von wässrigen Stachelbeeren. Sie rieb sie sich mit den Fäusten aus dem Gesicht und lief weiter, noch schneller, noch schneller davon. Eine Natalie also. Eine unkomplizierte Ausnahme. Scheiße. Das Keuchen übertönte ihre Weinkrämpfe. Sie hasste Schnee. Sie hasste den Winter. Sie hasste Weihnachten. Sie riss die Augen weit auseinander und fühlte sich alt. Sehr alt. Ihr war, als hätte sie alles versäumt, was sie jung gehalten hätte. Und ihr war, als fehlten ihr Idee und Kraft, diese Versäumnisse jemals nachzuholen und den rapiden Alterungsprozess zu stoppen.

Max hatte gerade den Hörer in der Hand, um Natalie abzusagen, als sie an der Tür läutete. Er überlegte kurz, sie nicht hineinzulassen – ein Notfall: Scharlach, Feuchtblattern, Maul-und Klauenseuche, irgendwas mit vielen ekeligen Flecken oder Schaum vor dem Mund, mit hohem Fieber und akuter Ansteckungsgefahr bei Sichtkontakt.

Er hatte nicht nur keine Lust auf sie, er konnte sich auch nicht vorstellen, eine solche zu entwickeln. Es fehlte ihm die erforderliche Lust auf Lust auf sie. Denn zur Lust auf Lust gehörten vermutlich Gefühle. Die waren nicht vorhanden.

Ein Alternativprogramm zum Lustprogramm stand aber nicht zur Diskussion. Natalies telefonische Vorworte des Treffens waren »Ich will dich wieder« gewesen. Dazu noch ein hübsches Wortspiel über den Ort des Geschehens: »Diesmal komm ich bei dir.« Max hätte vermutlich »Ich mag es, wenn du so direkt bist, Baby« erwidern müssen. Dazu hätte er sich vorher noch eine Schachtel Sägespäne in die Kehle schütten müssen. Aber er blieb bei seiner natürlichen Stimme. Und er schaffte gerade noch: »Dann komm!«

Da war sie also. »Ich kann nicht lange bleiben, darum bin ich früher da«, erklärte sie in zur Perfektion gebrachter jugendlicher Abgeklärtheit, kniff die Augen zusammen und brachte ihre unruhigen zarten Hände am Kragen ihrer gepolsterten Lederjacke in Stellung, scheinbar um diese ruckartig zu öffnen. Wahrscheinlich hatte sie darunter nichts an. Das waren zwar Männerphantasien, aber bei Natalie musste man mit solchen Dingen rechnen.

Edgar, der Anglistikprofessor, habe am späten Abend überraschend Zeit, erklärte sie: deshalb ihre Eile. »Ich werde aber nicht mit ihm schlafen, der wird Augen machen«, verriet sie Max und kniff die Augen in besonders kurzen Intervallen zusammen. Um ihre Edgar-Verweigerung durchzustehen und dem Professor nicht gar so ausgehungert ge-

genüberzutreten, nahm sie den Abstecher bei Max. Das hatte zwar relativ wenig mit einer Romanze zu tun. Aber damit beruhigte er sein Gewissen. Sein Motiv, sie kommen zu lassen, war auch nicht edler.

Er wollte üben. Er wollte es noch einmal probieren. Er wollte schauen, ob es ihm ein zweites Mal gelingen würde, heil über die Runden zu kommen. Er hatte eine gute Unterlage (Stachelbeerkuchen und Kaffee), er war mental in guter Verfassung, er konnte eine volle Sekunde an die fette Sissi denken, ohne den geringsten Brechreiz zu verspüren. Es herrschten also günstige Laborbedingungen.

Seit dem gelungenen Abenteuer mit Natalie vor zwei Tagen war Max euphorisch. Sein Sexualleben war im Begriff, sich zu verändern, das heißt: Es war im Begriff zu beginnen. Er wollte nicht unbescheiden sein: Ob er selbst dabei etwas empfand, war ihm egal. Aber allein die Vorstellung faszinierte ihn, dass er mit einer Frau ganz normalen Sex mit ganz normalen Zungenküssen haben konnte, dass er in der Lage war, sie auf konventionelle Weise zu befriedigen und ihre Lust zu stillen. Jetzt war er 34. Gar nicht so schlimm. Da gab es noch einige Jahre bis zum Ruhestand. Da war vielleicht sogar noch eine dauerhafte Lebensgemeinschaft möglich, eine Art Ehe, oder: warum nicht gleich eine Ehe, mit einem Kind oder zwei – und ohne Hund natürlich.

»Wo?«, fragte Natalie. Für »... tun wir es« war ihr die Zeit zu schade. Als Antwort sprang ihr die orangerote Ledercouch in die halb zugekniffenen Augen. Sekunden später saßen sie dort übereinander. Unter ihrer Steppjacke befand sich übrigens doch noch ein Kleidungsstück – ein ausgewaschenes schwarzes T-Shirt. Dem Anglistikprofessor konnte sie so etwas nicht vorsetzen, aber für Max reichte es. Sie nahm hastig die nächstbeste seiner Hände und schob sie unter ihr Shirt. Dazu machte sie ein konstruiertes Geräusch mit vielen »A«, wie eine Puppe, die auf Berührung reagierte. Die Haut griff sich angenehm warm an, fühlte Max. Da war nur das Problem: Er hatte keine Lust, je schneller Natalie es vorantrieb, umso eindeutiger – absolut keine Lust.

Sie öffnete sein Hemd. Er dachte, es wäre langsam an der Zeit, die Sache abzubrechen. Aber Natalie war zu beschäftigt. Er konnte sie nicht stören. Außerdem hätte sie ihn ohnehin nicht verstanden. Sie war bereits in einem ihm unbekannten Reich der Sinne und hielt dort erotische Monologe aus der Sekundär- bis Tertiär- bis Porno-Literatur: »Weißt du, was ich gleich mit dir machen werde?« (Sie erwartete keine Antwort.) »Ich werde xxxxx nehmen und xxxx stecken.« – Und einiges mehr.

Dabei griff sie ihm zunächst auf, dann zwischen und schließlich unter die beiden Hosen. Jetzt musste auch sie langsam merken: Er hatte absolut keine Lust. Aber das irritierte sie nicht. Er wurde auf den Rücken gelegt und durfte die Augen schließen. Sie begann weiter unten mit dem Aufbautraining.

Max kam sich lächerlich und in dieser Lächerlichkeit auch noch gefangen vor. Er resignierte, überließ seine Schale der Erregerin und blendete seinen Geist aus dem Geschehen aus. Er dachte an Katrin. Er war aufgeregt, wenn er an sie dachte. Er war seit einigen Tagen aufgeregt. An diesem Nachmittag war endgültig etwas mit ihm passiert. Er wusste genau, was es war. Er wagte nur noch nicht, es sich einzugestehen. Und er hatte keine Ahnung, wie er damit umgehen sollte.

Er wollte gern einmal ihre Wange berühren. Das hätte er natürlich niemals gewagt: Katrins Wangen waren Heiligtümer, die berührte man nicht einfach so. Ihr gesamtes Gesicht war unantastbar. Ihre Hände waren zerbrechliche

Kunsthandwerke. Ihr Körper? War es erlaubt, an ihren Körper zu denken? War es erlaubt, sich ihn nackt vorzustellen? War es erlaubt, ihr im Geiste über die Hüften zu streichen? Nur über die Hüften, großes Ehrenwort!

Natalie konnte zufrieden sein. Sie hatte ... sparen wir uns Details. Er war in ihr. Sie stöhnte und warf mit Wörtern wie »eng« und »hart« und »lang« und »groß« und »feucht« herum. So, aber jetzt wurde es ernst. Jetzt war ihr Kopf über seinem und sie bedeckte sein Gesicht mit etwa einem Liter Speichelflüssigkeit, ehe er ihre aufgewärmte Zunge in seinem Mund aus und ein gehen fühlte.

Max spannte alle verfügbaren Bein- und Armmuskeln an, presste die Fäuste zusammen und zwang sich zur Vorstellung, Katrin wäre es, die ihn gerade küsste. Das funktionierte nicht. Es gab in seiner Biografie nur eine, die so einvernehmend gierig zu saugen verstand wie Natalie – die fette Sissi. Max würgte die erste heftige Übelkeitsattacke hinunter und riss seinen Kopf aus Natalies Verankerung.

»Hast du was?«, fragte sie in Form von Stöhngeräuschen. »Können wir nicht Platz tauschen?«, fragte Max kränklich. »Typisch Mann. Immer wollen sie oben sein und den Rhythmus angeben«, erwiderte Natalie im Sinne von »Nein, kommt nicht in Frage«, zog ihre Beinschere fester, krallte ihre Finger in seinen Hals und versenkte ihre Zunge minutenlang in seiner Mundhöhle.

Während sein Magen wie eine hochtourige Waschmaschine kaffeedurchtränkte Stachelbeerkuchenstücke schleuderte, versuchte Max noch einmal bei Katrin Halt zu finden. Warum sagte er ihr nicht einfach, dass er sich unsterblich in sie verliebt hatte? Was konnte ihm passieren? Würde sie Max nicht jeden Wunsch erfüllen, wenn sie Kurt dafür haben konnte? – Da war er wieder, der Traum. Sie saß vor ihm in ihrem gelben Raumanzug. Er sah nur ihre mandelförmigen Augen. Sie hatte doch mandelförmige Augen, oder nicht? »Du legst deine Hände auf meinen Nacken und fährst mit allen zehn Fingernägeln ganz langsam meinen Rücken herunter«, dachte er sich zu ihr sagen. Wie sie ihn ansah! Wie sie ihre Finger bewegte. Diese Finger auf seinem Rücken! Ein Zucken ging durch seinen Körper. Er versuchte, den Mund zu schließen. Doch da war Natalies Zunge. Da war die fette Sissi. Er hob den Kopf. Er war knapp davor, sich zu übergeben. Natalie drückte den Kopf auf das Polster zurück und ließ von seinem Mund ab. Ihre Bewegungen wurden schneller, ihre Stöhngeräusche kehliger.

Bei Max mischten sich Schmerz, Angst, Ohnmacht und unbändige Lust auf Katrin. »Würdest du das für mich tun?«, dachte er sich sie fragen. »Bitte tu es schnell, ich halte es nicht mehr lange aus«, dachte er sich sie anflehen. »Danke für Kuchen und Kaffee!«, sagte sie und warf ihm einen grausam höflichen Blick zu. Er nahm sie und gab ihr Küsse auf beide Wangen. Sie riss sich los und weinte bitter und heulte wie ein Wolf und jammerte wie ein Kind. Nein, das war kein Jammern. Das war ein Geräusch wie von einem wild gewordenen Pferd. Das war ein schreckliches Wiehern.

Natalie bäumte sich auf und schrie vor Entsetzen: »Was ist daaaaas?« Max atmete mehrmals kräftig durch, ehe er sich zumutete, die Augen zu öffnen. Über ihm stand Kurt und blickte ins Jenseits. Er dürfte in der Bewegung erstarrt sein. Aus dem Maul ragte seine neue Plastik-Pferde-Leberkäse-Semmel. Sie drückte von unten auf Natalies Busen und quietschte und wieherte dort in Sekundenintervallen.

»Das ist Kurt«, sagte Max und umarmte den Kopf des Retters. »Das ist ja ekelig«, erwiderte Natalie mit Zornestränen in den Augen. »Ich war gerade im Kommen!« – »Tut mir leid. Ich glaube, er muss gehen«, erwiderte Max, richtete sich auf und strich seine Haare glatt. Während Natalie sich fluchend anzog, streichelte er seinen regungslos im Raum stehenden und ins Leere starrenden Hund. Als sie die Tür hinter sich zuwarf, zog er ihm Katrins Leberkäsesemmel aus dem Maul und drückte sie an seine Brust.

15. Dezember

Am Samstag überraschte sich Katrin damit, dass sie sich nicht treiben ließ und dass ihr das Leben in seiner unerträglichen vorweihnachtlichen Kargheit Respekt abtrotzte. Um 9 Uhr läutete der Wecker. Fünf nach neun stand sie auf, duschte sich (unnötig lang), holte sich mit Zahnseide letzte (unsichtbare) Bröselreste von diesem ekelhaften Stachelbeerkuchen aus den Zwischenräumen und spuckte mehrmals kräftig ins Waschbecken. Danach überlegte sie drei Sekunden, ob der Tag dafür geschaffen war, Weihnachtseinkäufe zu erledigen: Er war nicht dafür geschaffen.

Draußen schneite es aus meteorologischer Langeweile und klimatischer Resignation lustlose fünf Schneeflocken pro Minute. Katrin zog sich die hässlichste Wollunterwäsche an, die sie finden konnte, ohne danach zu suchen. Darüber passte ihre uralte graue Stepphose und der hellblaue Schlabberpullover, den sie für den Bahnhofssozialdienst zur Seite gelegt hatte. Ihre Haare pickte sie sich mit Gel aus dem Gesicht, den Lippenstift wischte sie wieder weg. Schminke erschien ihr in dieser Gemütsverfassung zu weibisch. Mit den weinroten Wanderschuhen hatte sie ihr Styling zur Perfektion gebracht. Sie sah aus wie eine Frau, die keinem Mann gefallen wollte. Genauso fühlte sie sich. Genauso fühlte sie sich gut. Genauso ging sie ins Kaffeehaus frühstücken. Sie aß dick belegte Eiaufstrichbrote, trank unter konstruierten Schlürfgeräuschen heiße Schokolade und zog eine abschließende Bilanz über Männer.

Dazu machte sie sich Notizen. Sie wollte ein Beweisstück in der Hand haben, wie sinnlos es war, die Hoffnung nicht aufzugeben, es könnte einmal einer ins Leben treten, der nicht bald wieder hinaustrat oder hinausgetreten werden musste:

»1.) Es gibt Schöne und Hässliche. Die Schönen sind brandheiß, spannend wie Telefonbücher oder bekennende Arschlöcher. Die Hässlichen sind nicht bekennende Arschlöcher.

2.) Zehn Prozent aller Männer wollen von einer Frau Sex und nichts anderes. Neunzig Prozent wollen von mehreren Frauen Sex und nichts anderes.

3.) Achtzig Prozent der Männer interessieren sich nicht für Frauen. Von den restlichen zwanzig Prozent interessieren sich 18 Prozent für jede gut aussehende Frau. Zwei Prozent interessieren sich für eine bestimmte Frau. Davon interessieren sich 1,8 Prozent für eine bestimmte Frau, weil sie sie nicht kriegen können. 0,2 Prozent interessieren sich für eine bestimmte Frau auch noch, nachdem sie sie gekriegt haben. Davon interessieren sich 0,1999 Prozent für eine bestimmte Frau, um sie noch ein zweites und drittes Mal zu kriegen. 0,0001 Prozent aller Männer interessieren sich für eine bestimmte Frau, obwohl sie sie gekriegt haben. Davon interessieren sich 0,0000999 Prozent für eine bestimmte Frau, um mit ihr ein Kind dazu- oder die Mama zurückzukriegen. Bleiben 0,0000001 Prozent Männer, die sich dauerhaft, sozusagen ›ein Leben lang‹, für ein und dieselbe Frau interessieren, ohne damit ein Ziel zu verfolgen. Das ist der statistische Schätzfehler.

4.) Es gibt interessante und uninteressante Männer. Die interessanten sind vergeben oder sie tun so (und kommen sich gut dabei vor) oder sie leben zurückgezogen oder im Ausland oder sie tauchen plötzlich auf, sind dann aber doch nicht so interessant. Oder sie pflegen gerade eine ›unproblematische sexuelle Beziehung‹ zu einer anderen Frau.

5.) Fazit eins: Am zweitklügsten ist es, einen Mann zu erobern, der hässlich und uninteressant ist und sich nicht für Frauen interessiert. Ein solcher ist an jeder Ecke zu bekommen. Man kann ihn jederzeit austauschen. Er hält hundertprozentig, was er nicht verspricht. Man hat ihn, wenn man will, für immer.

6.) Fazit zwei: Am klügsten ist es, auf Männer zu verzichten und sie schon im Ansatz aufkeimenden Interesses zum Teufel zu schicken. Deswegen lesbisch zu werden, ist kindisch und zu viel der Ehre für die Männer.«

Als Katrin das Kaffeehaus verließ, war sie radikal-militante Feministin, die zum Glück keine Kettensäge in der Hand hatte. Daheim überlegte sie es sich noch einmal anders und schrieb Max eine E-Mail. Sie begann mit den Worten: »Ich hoffe, du hattest einen erholsamen, entspannenden, befriedigenden Abend.« Diesen Satz löschte sie – und tippte ihn gleich darauf noch einmal ein. (So schlecht war er nicht.) Dann folgte: »Wenn du morgen einen ungestörten Sonntag verbringen willst, um eventuell auch wieder deiner unproblematischen sexuellen Beziehung zu frönen, kannst du mir Kurt vorbeibringen. Der Hund hat ohnehin zu wenig Auslauf. Außerdem – warum muss er sich das dauernd anhören? Gruß, Katrin.« Den Nebensatz mit der sexuellen Beziehung und den Fragesatz löschte sie – unwiderruflich.

Danach rief sie ihn an. Sie wollte ihm nur mitteilen, dass sie ihm eine Nachricht geschickt habe. Und sie wollte ihn bei dieser Gelegenheit fragen, was er am Abend vorhabe. Sollte er noch nichts geplant haben, würde sie sagen:

»Schade, ich bin am Abend leider mit Freunden unterwegs. Aber vielleicht ein anderes Mal.« Hatte er schon etwas vor, würde sie ihn danach fragen. Nein, das würde sie nicht machen. Oh doch, das würde sie machen.

Und würde er sagen, er erwarte Besuch, und würde auch nur irgendwie versteckt anklingen, dass es sich um einen sexuellen Besuch der unproblematischen Art handle, würde sie ihm »leider etwas Unangenehmes« mitteilen müssen: »Lieber Max. Ich kann Kurt zu Weihnachten nicht nehmen. Es ist mir etwas dazwischengekommen: ein uralter Freund aus Amerika, meine große Jugendliebe, der ist jetzt plötzlich da, und er wird über Weihnachten bei mir wohnen und da wollen wir von einem Hund natürlich nicht gestört werden, wir haben ja viel nachzuholen, das wirst du verstehen.« Etwas in dieser Art wollte sie ihm sagen. Und dann würde sie noch anfügen: »Aber vielleicht ist ja diese sexuell unproblematische Frau, von der du erzählt hast, so nett und kann sich um den Hund kümmern. Oder wäre das der unproblematischen sexuellen Beziehung abträglich? Das hoffe ich doch nicht«, würde sie sagen.

Zu dem Gespräch kam es leider nicht. Er hob nicht ab. Er schien zu wissen, dass es klug war, nicht daheim zu sein. Katrin sprach ihm aufs Band: »Hallo, hier Katrin. Ich hab dir eine E-Mail geschickt. Ich wünsche dir einen schönen Abend.« Danach ärgerte sie sich. Ihre Worte waren von einer geradezu unterwürfigen Harmlosigkeit.

Am Abend war Katrin bei Franziska »Nichts-ohne-meine-Töchter«-Huber eingeladen. Die wog jetzt 110 Kilo, davon je 15 Kilo an ihren beiden Brüsten, wenn auch erstaunlicherweise nicht mehr saugend: Leni und Pipa. Franziska war Katrins beste Freundin. Die Freundschaft war so gut, dass sie die letzten drei fruchtlosen Jahre (beziehungsweise fruchtbringenden, je nachdem, wie man es sah) hatte überstehen können. So lange stand die Freundschaft nun schon unter Zwillingsgeburtenschock.

Ursprünglich wollten sie ins Kino gehen, aber das ging dann doch nicht, wegen Leni und Pipa. Nichts ging mehr wegen Leni und Pipa und schien etwas zu gehen, so ging es dann doch nicht wegen Leni und Pipa. Dabei wäre Eric beinahe allein bei den Kindern daheimgeblieben. Doch buchstäblich in letzter Sekunde war ihm – zu Franziskas Erleichterung – eine Praktikanteneinschulung dazwischengekommen. Seit der Geburt seiner Töchter hatte sich die Zahl der abendlichen Praktikanteneinschulungen dramatisch erhöht. Möglicherweise war es Franziska, die diese Schulungen in geheimer Absprache mit seinem Chef organisierte.

Sie konnte mit Eric zu Hause nichts anfangen. Er war noch nicht reif für Leni und Pipa. Bei ihm spannten sich die Gesichtsmuskeln, wenn die Töchter im bewussten und gewollten Zusammenwirken nicht daran dachten, die Phon-Stärke ihres Presslufthammer-/Sirenen-Getöses noch vor Mitternacht des jeweiligen Abends zu senken. Außerdem wischte er ihnen mit einem an seine zittrigen Vater-Finger angewachsenen feuchten Tuch jede Stunde zwanghaft Mund und Hände ab und spekulierte mit geregelten Schlafensgehzeiten. Und schließlich begann er jüngst in unangenehm unterschwelliger Weise auf Franziska einzudringen, sie könnten doch wieder einmal miteinander schlafen, und das bereits drei Jahre nach der Geburt. Er verstand nichts von Müttern und Kindern.

Mit Franziska war eine extreme Wandlung vor sich gegangen. Sie war früher nicht nur anders, sie war eine andere, eine gegenteilige Person gewesen. Sie hatte die sexuelle

Freiheit gepredigt und zelebriert und sich dabei jede Woche aufs Neue gebunden. Nach zwei, drei Tagen war der Höhepunkt ihrer Verliebtheit erreicht gewesen. Am vierten Tag hatte sie vom Heiraten gesprochen, am fünften Tag war ihr die Sache »langsam ein bisschen zu eng« geworden. Am sechsten Tag hatte sie eine Beziehungspause gebraucht. Am siebenten Tag den Neuen kennen gelernt. Sie hatte natürlich niemals unter gescheiterten Beziehungen gelitten. Das Kommen und Gehen von Männern hatte auf natürliche Weise ihre Blutzirkulation angeregt und für einen gesunden Hormonhaushalt gesorgt.

Katrin sparte sich damals die Enttäuschung der Lektüre eintöniger Liebesromane. Franziskas Geschichten waren niemals langweilig, oftmals sogar anregend. Und sie gingen für sie auf erstaunliche Weise immer gut aus. Zumeist war das Ende selbst das Gute daran. Katrin beneidete Franziska um die Fähigkeit, das »Ernsthafte« an einer Beziehung gar nicht erst zuzulassen. Somit waren selbst die leichtfertigsten ihrer Männer noch immer ernsthafter als sie selbst.

Als ihre beste Freundin und erste Ansprechstation musste Katrin in Franzis wildesten Zeiten vorübergehend einen Parteienverkehr mit Seelsorge und Nachbetreuung für stehen gelassene Opfer einrichten. Da lernte sie Männer von ihrer demutsvollen Seite kennen und gering schätzen. Bei manchen war sogar eine Art emotioneller Tiefgang zu bemerken, der sich dann aber doch rasch als pures Selbstmitleid entpuppte.

Einige waren willens, sich wegen Franzi das Leben zu nehmen und hatten panische Angst, in den Nächten nach der Trennung alleine zu sein. Katrin durchschaute den Trick allerdings bereits nach der dritten Annäherung eines Stehengelassenen, der bei ihr im Bett lebensrettenden Trost suchen und Kraft für ein Weiterleben ohne Franzi tanken wollte.

Eric wäre eigentlich für Katrin vorgesehen gewesen. »Der ist mir zu schade«, hatte Franzi gesagt. »Der ist so gewissenhaft. Der wäre mehr etwas für dich.« Er hätte ihr auch gefallen. Er redete nicht viel, dafür keinen Schwachsinn. Er konnte ihr nicht nur zuhören, er tat es auch. Überdies sah er ganz gut aus und er schaute ihr in die Augen, wenn er mit ihr redete. Er hatte weder einen Schleier- noch einen Röntgenblick, sondern die vom Aussterben bedrohte unpeinliche Mischung daraus, die Frauen das Gefühl gab, ohne Gegenleistung ernst genommen zu werden und etwas Besonderes zu sein. Er war auf bescheidene Weise selbstbewusst. Er hatte nur einen großen Fehler: Er unternahm nichts, um Katrin näherzukommen.

Eric konnte keine ersten Schritte setzen. Katrin ebenfalls nicht. Das verband sie. Leider nicht miteinander, sondern mit Franziska. Als Katrin den Entschluss gefasst hatte, Eric ein Signal zu geben, welches er dahingehend hätte interpretieren können, dass sie bereit gewesen wäre, auf ein Zeichen von ihm positiv zu reagieren, sagte ihr Franziska am Telefon: »Eric und ich sind zusammen. Ich hab ihn mir aufgerissen. Wir müssen einen anderen für dich suchen.« – »Kein Problem«, erwiderte Katrin. »Er war ohnehin nicht mein Typ.« Wenn Franziska damals ein Knirschen in der Leitung gehört hatte, so musste es vom zusammengequetschten Telefonhörer in Katrins Händen hergerührt haben.

Mit Eric ging es Franziska scheinbar so gut, dass sie sich ein Jahr nicht meldete. Als Entschädigung durfte Katrin ein weiteres halbes Jahr später ihre Trauzeugin sein. Die Hochzeit war wie aus dem Film »Vier Hochzeiten und ein Todesfall«. – Wie der Todesfall. Franziska war unter ihrem Brautkleid lebend begraben und hatte diese missverständlich oft als »Glück« oder »Harmonie« bezeichnete satte Zufriedenheit um die Mundwinkel und im Ansatz eines Doppelkinns. Dazu setzte sie ein ironisches, abgebrüht wirkendes »So-ist-das-Leben«-Lächeln auf, wie es Menschen tun, die die Dinge laufen lassen, weil es ihnen zu mühsam ist, alles wieder rückgängig zu machen, weil sie dann zu viel Geschehenes (oder Passiertes) in Frage stellen müssten. Ausgerechnet Franziska, die keinen Weg gescheut hatte, um ihrem Begriff von Liebe nachzuspüren, war in eine emotionelle Sackgasse geraten und errichtete sich nun dort, wo es nicht mehr weiterging, ein gutbürgerliches Einfamilienhaus.

Eric war ein Bräutigam, der nicht wusste, wie ihm geschah. Er freute sich einerseits rührend für seine Großfamilie, die mit Franziska einen weiteren Volltreffer gelandet hatte. Andererseits suchte er wehmütig Kontakt zu seinen Freunden aus der Baseball-Mannschaft, als fürchtete er nichts mehr, als mit dem Jawort und dessen Nachfolgeerscheinungen seinen Platz im Team (und in der Gesellschaft überhaupt) zu verlieren.

Die Festgäste bemühten sich aufrichtig, das frisch vermählte Paar um sein beispielloses Glück zu beneiden. Aber der Brautkuss war kühl, die Ringe wurden lieblos ausgetauscht. Die Intimität des Ehepaares bei der Hochzeitsfeier erschöpfte sich in Dialogen darüber, ob das Weißbrot ausreiche, ob die Kapelle zu laut oder leise spiele und welche Schwiegereltern sich wohler fühlten und warum (nicht). Katrin gelang es nur für wenige Minuten, an Franziska heranzukommen. Ihr fiel keine dem Anlass gerechter werdende blöde Frage als »Liebst du ihn wirklich?« ein. »Wir passen gut zusammen«, erwiderte Franziska und lächelte. Also: Nein.

Das Haus in der Sackgasse blieb von da an gut abgeschirmt. Auch Katrin zählte zu den Unbefugten, denen der Zutritt nur selten erlaubt war. Die Hochzeit ging nahtlos in Franziskas Schwangerschaft über. Der Kontakt mit Katrin wurde immer telefonischer. Nach der Geburt der Zwillinge war auch Telefonieren nur noch in Ausnahmesituationen möglich – etwa wenn Leni und Pipa gleichzeitig schliefen. Dennoch wollte sich Katrin nie an den Gedanken gewöhnen, dass sich ihre Freundschaft mit Franziska ausgelebt haben könnte. Bei jedem der rar gewordenen Treffen hoffte sie, die alte Franzi wiederzuerkennen.

Der Besuch war unpassend, merkte Katrin, als es zu spät war. Die Wohnung war kindgerecht verwüstet und roch nach Banane. Leni (oder Pipa) beschäftigte sich still. Sie spielte mit den Blättern des Gummibaumes »Er liebt mich, er liebt mich nicht«. Pipa (oder Leni) beschäftigte sich laut. Sie hatte fünf Pfannen aus der Küchenlade geholt und ließ jede mit jeder zusammenkrachen. »Erschreck nicht, wie's hier aussieht«, sagte Franziska und hielt Katrin zur Begrüßung den Ellbogen entgegen. Katrin erschrak darüber, wie ihre Freundin aussah. Sie war kindgerecht verwüstet und roch nach Banane. Außerdem hatte sie seit ihrer stürmischen Phase gut zwanzig Kilo zugenommen. Allein ihre Haare wogen leicht fünf Kilo. Für Körperpflege fehlte ihr anscheinend nicht nur die Zeit, sondern auch der Grund.

»Wie machst du das, dass du so schlank bleibst?«, fragte Franzi, obwohl sie es wusste und obwohl es ihr egal war: Weil es Katrin eben nicht egal war. Leni (oder Pipa) war der Gummibaum bereits zu kahl. Sie nahm Anlauf und sprang Katrin an. Das rief die pfannendreschende Pipa (oder Leni) wach. Sie ließ das Küchengerät fallen und hängte sich Katrin um den Hals. »Ihr zwei seid aber stürmisch«, rief

Katrin, in der Hoffnung, durch ein Machtwort der Mutter befreit zu werden. Franzi setzte ein entschuldigendes »So-sind-Kinder«-Lächeln auf. So waren Kinder, wenn einem die Kraft fehlte, etwas dagegen zu unternehmen. »Süß sind sie«, sagte Katrin. »Zum Fressen«, dachte sie. Danach sah man sich Fotoalben an: Leni und Pipa, mit eins, zwei, drei und jeweils dazwischen. Die Kinder turnten indessen auf den Köpfen.

Bei der Fertigpizza fielen persönliche Worte, nicht viele, Pipa und Leni waren ja schließlich auch noch da und hörten keine Minute auf, daran zu erinnern. »Eric ist mir fremd geworden«, sagte Franziska im gemütlichen Ton, in dem frühere unbeschwerte Zeiten anklangen. »Eine Weile schau ich mir das noch an, dann lasse ich mich scheiden.« Was genau sie sich anschauen wollte, ging im Kriegsgeschrei der hungrigen Zwillinge unter.

»Und du?«, fragte sie Katrin, vielleicht in der Hoffnung, etwas vom Leben zu erfahren. »Ich bin verliebt«, erwiderte Katrin und war verblüfft über ihre Worte und wie sie klangen. »Hab ich gleich gesehen«, sagte Franzi. »Und was kann er?« – »Weiß ich noch nicht«, erwiderte Katrin. »Liebt er dich?«, fragte sie. »Weiß ich noch nicht«, erwiderte Katrin. »Ist er gut im Bett?«, fragte sie. »Weiß ich noch nicht«, erwiderte Katrin. »Kriegst du eine Gänsehaut, wenn er dich küsst?«, fragte sie. »Weiß ich noch nicht«, erwiderte Katrin. »Willst du es nicht wissen?«, fragte sie. »Oh ja, na sicher«, erwiderte Katrin und lächelte verlegen. »Was tust du dann hier bei mir?«, fragte Franziska. – Das war eine gute Frage, dachte Katrin. Sie half noch mit, die Kinder wenigstens in eine Vorstufe der Nachtruhe zu bringen und verabschiedete sich mit einer angedeuteten Umarmung von ihrer Freundin. Pipa und Leni hängten sich dazwischen.

Daheim war Katrin außer Atem. Sie war den Weg durch den Park gelaufen. Sie hatte das dringende Verlangen, von Max geküsst zu werden. Sie wollte sich auf schnellstem Wege in die Nähe einer Situation bringen, in der dieses Verlangen Aussicht hatte, gestillt zu werden. Sie stürzte zum Telefon. Der Anrufbeantworter hatte zwei Nachrichten gespeichert. Die erste kam von Aurelius. Katrin rieb ihre Knie aneinander und biss sich auf die Unterlippe. »Liebste Katrin, ich hoffe, du bist nicht böse, dass ich dich gestern nicht angerufen habe. Ich hatte es dir ja versprochen. Bei mir in der Kanzlei geht es momentan turbulent zu …« Katrin hielt sich die Ohren zu und ließ nur noch vereinzelte Worte durch: »sollst du wissen«, »die Einzige«, »wegen des Kinobesuchs«, »Weihnachten«, »mit deiner Mama telefoniert«, »jederzeit anrufen«, »morgen wieder versuchen«, »gute Nacht, Liebling«, »ich träum von dir«. Überstanden. Ende.

Die zweite Nachricht musste von ihm kommen, und sie kam von ihm. Katrin presste ihr Ohr an den Lautsprecher. »Hallo Katrin, hier ist Max. Ich hab dir eine E-Mail geschickt. Ich vermisse dich.« – Der Computer brauchte drei Minuten, um zu starten. Katrin kürzte währenddessen mit den Zähnen sechs ihrer Fingernägel. Er hatte »Ich vermisse dich« gesagt, dachte sie etwa zwanzig Mal, um die Wartezeit zu überbrücken. Sie hatte nur noch ein T-Shirt an und ihr war noch immer zu heiß für den Empfang seiner Mitteilung. Zuerst sprangen ihr zwei neue E-Mails von Aurelius ins Auge. Langsam hasste sie ihn für seine Frechheit, sich über elektronische Schleichwege in ihrem Leben eingenistet zu haben und ihr den Zugang zu den wichtigen Dingen zu blockieren. Sie löschte die Mails, ohne sie gelesen zu haben, öffnete die Nachricht von Max und las:

»Liebe Katrin, du schriebst mir: ›Ich hoffe, du hattest einen erholsamen, entspannenden, befriedigenden Abend.‹ – Glaube ich dir nicht, Katrin. Du hofftest, ich würde einen unbefriedigenden Abend haben. Deine Hoffnung wurde übertroffen: Es war ein grauenvoller Abend. Du schriebst ferner: ›Wenn du morgen einen ungestörten Sonntag verbringen willst, kannst du mir Kurt vorbeibringen. Der Hund hat ohnehin zu wenig Auslauf.‹ – Ich würde dir Kurt gerne vorbeibringen, aber ich selbst will keinen ›ungestörten‹ Sonntag verbringen. Ich würde den Sonntagnachmittag gerne mit dir verbringen. Wenn ich Kurt bringe, darf ich auch hereinkommen? Katrin, ich habe natürlich gemerkt, was mit dir los war. Ich würde dir die Sache gerne erklären. Gibst du mir Gelegenheit dazu? Ich denke ununterbrochen an dich und würde dich gerne sehen. Kurt hat übrigens nicht zu wenig Auslauf. Ihm ist jeder Auslauf einer zu viel. Wenn es nach Kurt ginge, gäbe es für Hunde überhaupt keinen Auslauf mehr. Hoffentlich bis morgen, Max. P. S.: In Kurts Namen bedanke ich mich noch einmal für die wiehernde Leberkäsesemmel. Wir haben sie schon ins Herz geschlossen.«

»Hallo Max«, antwortete Katrin sofort, »ja, ich würde mich freuen, wenn du mit Kurt mitkommst. Ich lasse dich herein. Du kannst auch länger bleiben.«

Danach legte sie sich ins Bett, biss an den übrig gebliebenen vier Fingernägeln und wiederholte im Geiste mit unterschiedlichen Betonungen: »Ich denke ununterbrochen an dich und würde dich gerne sehen.« Das hatte er tatsächlich geschrieben. Wie konnte er es gemeint haben?

16. Dezember

»Was macht das Küssen?«, fragte Paula und legte ihren Arm auf Max' Schulter. Es war Sonntagvormittag. Draußen regnete es Peitschenhiebe. Die Bürger des Landes wurden wieder einmal klimatisch dafür bestraft, dass sie im Wohlstand lebten und trotzdem unzufrieden waren.

Max fehlte nur noch eine Woche zur Flucht vor dem geheuchelten Szenario Weihnachten, der monströsen Produktmesse der Würdenträger und Schlitzohren aus Wirtschaft und Religion. – Eine Woche noch bis zur Reise auf die Malediven, wo angeblich genau jene Sonne schien, die hier seit Monaten vermisst wurde. Max war aufgeregt. Aber nicht deswegen.

Bei Paula gab es ekelhaften Tee aus 26 unbekannten Kräutern, die gleichzeitig 26 vor dem Ausbruch stehende unbekannte Krankheiten niederkämpften. Paula war Apothekerin. Ihre Kunden bekamen Medizin, ihre Freunde Heilmittel. Max war einer ihrer besten Freunde. Unter drei Tassen Spezialtee ließ sie ihn nicht gehen.

Was das Küssen machte? – »Es graust mir noch immer«, gestand Max. »Kannst du nicht endlich einmal ein anderes Wort als ›grausen‹ verwenden?«, fragte Paula. Konnte er nicht. Es gab keines, das den Zustand des Küssens für ihn besser beschrieb. »Und was macht die Liebe?«, fragte Paula. »Du hast eine, stimmt's?« – »Ich hätte eine«, erwiderte Max. »Das heißt, du hast sie noch nicht geküsst«, sagte Paula. Das war richtig. »Und sie weiß auch nichts von ihrem Glück, von dir noch nicht geküsst worden zu sein.«

Das war ebenfalls richtig. »Und du wirst ihr dein Problem auch hoffentlich nicht verraten.« Das war falsch.

Max nahm einen kräftigen Schluck Tee, um genügend Bitterkeit im Mund zu haben, um zu verkünden: »Heute sage ich es ihr.« – »Bist du wahnsinnig?«, fragte Paula. »Tu 's nicht. Das versteht keine Frau, die nicht bereits unsterblich in dich verliebt ist.« – »Ohne Kuss wird sich niemals eine unsterblich in mich verlieben«, erwiderte Max. »Wenn du es ihr sagst, nicht einmal sterblich«, meinte Paula. Dieses Thema hatten sie schon öfter durchdiskutiert. Es ließ sich nur leider nicht ausdiskutieren. Es war so wie mit dem Huhn und dem Ei. Was beendete eine Beziehung mit Max zuerst: das Eingeständnis oder der Kuss?

Paula durfte sich vor dem Beginn der Freundschaft mit Max selbst zu dessen Kuss-Opfern zählen. Er war ihr Kunde. Ein Jahr war er ihr nicht aufgefallen. Er konnte nichts dafür, Paula sah während ihrer Arbeit in der Apotheke keine Männer, nur deren Rezeptscheine. Eines Tages war ein spannender darunter (Rezeptschein). Da musste sie eine Tinktur gegen eine Blechdosenallergie zusammenmischen. Beim Aushändigen beugte sie sich über das Verkaufspult und flüsterte dem Kunden ins Ohr: »Vergessen Sie den Dreck, der hilft nichts. Greifen Sie einfach keine Dosen mehr an.« – »Das geht nicht, mein Hund verhungert. Er isst nur Wildbeuschel aus der Dose«, erklärte Max. Da sah sie ihn an. Und er gefiel ihr. Er sah auf selbstsichere Weise unbeholfen aus, das sprach ihr Helfer-Syndrom an. Und sie gefiel ihm ebenfalls – natürlich rein optisch, wie das bei Männern eben so funktioniert. Sie war groß, hatte ein schmales Gesicht und Augen, Brauen, Haare und Haut wie Winnetous Schwester. Vermutlich war sie Medizinfrau und die Arbeit in der Apotheke ein zeitgemäßer Kompromiss.

»Vielleicht haben Sie ein anderes Problem, vielleicht wollen Sie ihm keine Dosen öffnen«, meinte sie. »Stimmt, mir wäre lieber, er würde sie sich selber öffnen«, erwiderte Max. »Aber er kann aus eigener Kraft nicht einmal Augen und Mund öffnen.« Auf diese Weise wanderte das Gespräch von der menschlichen Allergie zur Hunde-Psychologie.

Alibihalber ließ sich Max schließlich eine Salbe ihrer Wahl verabreichen. Da diese nicht half, musste er ein paar Tage später wiederkommen. Der Vorgang wiederholte sich, die Salben wurden immer nichtsnutziger, die Besuche immer häufiger, die Dialoge gewannen an (medizinischer) Vertraulichkeit und an Volumen. Der Ort des Treffens wurde von der Apotheke in das benachbarte Kaffeehaus und von dort in eine der beiden Wohnungen verlegt. Die Zeit der Zusammenkünfte verschob sich in Richtung Abend- und Nachtstunden.

Im Kerzenlicht mutierte Paula vollständig zu Winnetous Schwester. Ihre Augen funkelten indianisch, ihre Arme und Beine waren schlank, sehnig und muskulös, ihre naturgoldbraune Haut roch nach wildem Honig. (Es war eine Heilkräuterölmischung gegen noch unbekannte Gelenksentzündungen.) Paulas einziger Makel: Sie hatte nicht nur einen Mund, sie hatte einen großen Mund mit breiten Lippen, die Max immer näher rückten und vor denen er sich langsam zu fürchten begann. Die Worte, die diesen Mund verließen, waren streng vertraulicher heilpädagogischer Natur. Paula vermittelte Erotik medikamentös. Sie hauchte ihm Tipps zur Bekämpfung jeder nur möglichen Krankheit zu und ließ dabei keine Körperregion unerwähnt.

Max verliebte sich rezeptlos heftig und ohne Nebenwirkung in beinahe alles an ihr. Nur der übermächtige Mund war ihm im Weg. Paula bemerkte seine abschweifenden Blicke und seine ausweichenden Gesten und deutete sie als Versuch, die Begierde nicht zu plump und ungesteuert auf sie loszulassen. Diese unübliche Art von männlichem sexuellem Intellekt, von Beherrschtheit, machte Max für sie ganz besonders anziehend. Später gestand sie ihm, dass sie in dieser Situation auf Küsse verzichtet hätte, dass seine Berührungen stimulierend genug gewesen waren, dass er einfach nur hätte tun sollen und alles wäre gut gegangen. Wahrscheinlich wären sie heute verheiratet und hätten halbwüchsige Medizinmänner und -Squaws daheim, die auf Blechdosen allergisch waren.

Stattdessen brach er die letzte Phase davor ab (die des gegenseitig stockenden Zuatmens) und eröffnete ihr: »Ich muss dir noch etwas gestehen. Am besten, ich sage es dir gleich, damit du dir eine unangenehme Überraschung ersparst ...« Schon damit hatte er einen beträchtlichen Teil seiner Aura eingebüßt. Dann kam: »Ich kann nicht küssen, mir graust davor, mir wird schlecht.« Das brachte Paulas Blut schocktherapeutisch unter den Gefrierpunkt. Fehlte nur noch (und folgte sogleich): »Das hat aber wirklich nichts mit dir zu tun«, eine der unverschämtesten Standard-Lügen der Liebesgeschichte. Sie warf ihn bei Paula zurück an den Start, zum ersten Auftritt in der Apotheke, als er nicht mehr Ausstrahlung besessen hatte als das von ihm vorgelegte Rezept.

»Sage nie wieder einer Frau, die du begehrst, dass du sie nicht küssen kannst«, riet ihm Paula Monate später, als sie Freunde geworden waren. Diesen Satz hörte er von da an bei jeder Begegnung und oftmals auch telefonisch dazwischen. Seine bevorzugte Antwort lautete: »Okay. Ich lege also meinen ganzen Charme in die Worte danach: ›Liebling, es war wunderschön mit dir, und ich kenne eine gute Reinigung.‹«

Sonntagvormittag bei Paula und der dritten Tasse 26-Kräuter-Tee – einer magenfreundlichen Grundlage für das Thema Küssen – ging man die Ausgangssituation vor dem bevorstehenden Treffen mit Katrin und die mögliche Entwicklung noch einmal Punkt für Punkt durch. Max ließ Paula reden und meldete sich nur mit dringlichen Zwischenfragen zu Wort. Er hatte das Gefühl, es tat ihr gut, über fremde Liebesangelegenheiten zu sprechen. (Ihre eigene Beziehung zu Sami hatte das Prädikat: »Wortlos intakt bis in alle Ewigkeit«, worunter sie nicht einmal zu leiden schien, denn auch dafür fehlten die Worte.) Nun fand Paula für ihr ausgeprägtes Helfer-Syndrom endlich einmal wieder ein breites Betätigungsfeld vor.

Hier nun ihre verschriebenen Anwendungen, Indikationen und Dosierungen im Fall Katrin:

1) Max durfte ihr nur ja nichts von seiner Kuss-Übelkeit verraten.
2) Um dies länger durchhalten zu können, durfte er sie natürlich nicht küssen. Einwand von Max: »Ein Kuss ist aber schon überfällig.« Dazu Paula:
3) Er musste ihr eben das Gefühl geben, dass ein Kuss für ihn etwas so Besonderes sei, dass er es noch hinauszögern wolle. Denn: »Dafür sammelt man bei Klassefrauen Pluspunkte, das steigert ihr Begehren«, lehrte Paula. Frage von Max: »Darf ich andere Dinge machen?« Dazu Paula:
4) Unbedingt notwendig: Ihre Hände nehmen, streicheln, einbetten, reiben, halten, drücken. Sie an den Armen streicheln. Zwickerbussis an ihrer Nase. Leicht über die Wange streichen. Ihr übers Haar fahren. Sie kurz an den Schultern nehmen.
5) Gerade noch erlaubt: Mit seinen Füßen ihre berühren. Zart ihre Knie anfassen. Seine Hand einmal flüchtig

über den Oberschenkel streifen lassen. Andeutungen von Umarmungen. Einmal kurz ihren Nacken kraulen. Bei der Verabschiedung ihr Gesicht in beide Hände nehmen und/oder sie im Stehen einmal kräftig umschlingen und fest an sich drücken. Ganz zum Schluss ein kurzer inniger Kuss auf den Mund mit halb geöffnetem Mund. »Schaffst du das?«, fragte Paula. »Ich glaube schon«, erwiderte Max tapfer und spülte einen Schluck Tee nach.

6) Nicht erlaubt: Liebkosungen, die man gemeinhin erst nach dem ersten Kuss tat. Ihr über die Hüften streichen. Ihr an irgendeiner Stelle unter das Gewand greifen; auch nicht an den Pulloverärmeln oder am Halskragen. Ferner verboten: längerer Aufenthalt der Hände auf ihren Oberschenkeln. Berührungen der Brüste. »Nicht einmal flüchtig?«, fragte Max. »Nein!«, erwiderte Paula streng. Grundsatzfrage von Max: »Und was ist, wenn sie die Initiative ergreift?« Dazu Paula:
7) Liebevoll abwehren und gleichzeitig Persönliches mit ihr zu reden beginnen. Er sollte ihr am besten ein paar nette Dinge ins Ohr flüstern, so konnte er auch unverdächtig seinen Mund von ihrem fernhalten. Er sollte sagen, dass es so schön mit ihr sei, dass er sich so wohl fühle, dass er sich alles Mögliche mit ihr vorstellen könne. »Verbalerotik statt küssen?«, fragte Max. »Besser als küssen und kotzen«, meinte Paula. Grundsatzfrage von Max: »Und wo soll das hinführen?« Dazu Paula:
8) Sie würde sich immer stärker in ihn verlieben. Dabei sammelte sie immer mehr Immunkräfte gegen seine Kuss-Unverträglichkeit. Die sexuelle Spannung würde immer größer werden und vielleicht ginge dann auch sogar einmal Sex ohne Kuss, so etwa in einem hal-

ben Jahr. Klassefrauen hatten diesbezüglich viel Geduld, meinte Paula.

9) Kurzum: Er musste Zeit gewinnen, ohne die Nerven zu verlieren. Wenn sie dann einmal ein paar Wochen intensiv zusammen waren, konnte er es ja einmal probieren. Vielleicht war er dann auch schon so sehr verliebt, dass ihm das Küssen kein Problem mehr bereitete.

Einwand eins: »Ich bin schon jetzt verliebt«, sagte Max. Einwand zwei: »Ich will Sex mit ihr.« Einwand drei: »Außerdem bin ihr eine Erklärung schuldig.« Er erzählte Paula von der Trainingsaffäre mit Natalie, und dass er dies Katrin als »unkomplizierte sexuelle Beziehung« verkauft hatte. Dazu Paula: »Das war sehr, sehr dumm! Sex mit einer anderen ist am Anfang unverzeihlich. Sag ihr, dass du Natalie erfunden hast, um dich interessant zu machen.« – »Das schaffe ich nicht, das wäre mir zu peinlich«, gestand Max. »Dann kann ich dir nicht helfen, mein Lieber«, schloss Paula, klopfte Max dreimal auf die Schulter und signalisierte ihm damit, dass sie mit ihrer therapeutischen Gebrauchsanleitung am Ende war.

Als Max heimkam, lag Kurt unter seinem Sessel und schlief. Das änderte sich zwangsläufig, als sie sich gemeinsam auf den Weg machten, Katrin zu besuchen. Kurt wollte zwar nicht, aber er wurde ja nie gefragt, immer gleich gezogen und geschleift. Bereits im Stiegenhaus verließen ihn die Widerstandskräfte. Draußen juckte stacheliger Regen auf seinem Deutsch-Drahthaar-Fell und ein hässlicher Nordwind blies gemein gegen seine wetterdurchlässige Schnauze. Außerdem war es unerträglich kalt im Esterhazypark. Andere, artgerecht gehaltene Hunde trugen im Winter einen Bauchschutz. Kurt natürlich nicht, seinem Herrl war das zu peinlich. Deshalb musste Kurt frieren. Er war leider zu müde, um einen entsprechenden Gerichtshof zu bemühen.

Die Wohnung befand sich im zweiten Stock. Kurt stieg freiwillig die Treppen hinauf. Er brauchte dringend einen Gegenstand aus möglichst rauem Stoff, an dem er sich seinen feuchten Rücken abreiben konnte. Die Tür öffnete sich. Die Frau roch nach wiehernder Leberkäsesemmel und kam ihm persönlich bekannt vor. Der Boden ihrer Behausung war in einem desaströsen Zustand, der Tierschutzorganisationen wachgerufen hätte. Er bestand aus nicht geheizten Fliesen, auf denen nichts lag, das nach einer sinnvollen Abreibung aussah. Um zum ersten (und einzigen) Teppich zu gelangen, musste Kurt zwei Räume abtasten und zwei weitere durchstöbern. Vorteilhaft war, dass über das im hintersten Winkel aufgespürte bescheidene Stoffviereck ein Bett ragte, unter dem er sich verkriechen konnte. Als Max mit erstaunlicher Verspätung fragte, ob er ein Tuch haben könnte, um dem Hund den Dreck von den Pfoten und vom Fell zu wischen, war der Juckreiz am Rücken bereits gestillt und der Halbschlaf eingekehrt. Da sich nichts mehr rührte, war Kurt hier offenbar ohnehin kein Thema. Folglich schlief er bis auf Widerruf.

Max vergaß innerhalb eines Blickkontaktes, was ihm Paula eine Stunde lang einzutrichtern versucht hatte. Es gab Blicke, die entschieden sofort, was folgen musste. Katrin lehnte mit leicht hinausgedrehter Hüfte und überkreuzten Beinen am Türstock. Max war klar, dass sie die Frau war, auf die er sein Leben lang gewartet hätte, hätte er das Zeug dazu gehabt, ein Leben lang auf eine Frau zu warten, die er nicht kannte. Sie steckte in einem eng anliegenden dünnen schwarzen Pullover, der erst unter den Knien, wenn überhaupt, endete. Wahrscheinlich war der Pullover übrigens ein Strickkleid.

Die Stimme sagte: »Hallo Max, schön, dass du gekommen bist.« So ein Gesicht suchten sie für flippige Pariser Modekataloge. Die professionell zerzausten kurzen Haare hatten soeben eine schräge Frisurmesse gewonnen. Die Augen wurden als unerschwingliche Markenprodukte vor einem Elitepublikum zur Schau gestellt. Aber der Blick daraus war über das perfekteste Werbedesign erhaben. Er war offen, scharf, lebendig, echt, fordernd – und auf Max gerichtet. Es war kein »Zöger-den-Kuss-noch-wochenlang-hinaus-dann-gewinnst-du-an-Charisma«-Blick. Es war auch kein »Zöger-den-Kuss-noch-ein-paar-Sekunden-hinaus-dann-steigt-meine-Achtung«-Blick. Es war ein »Küss-mich-sofort«-Blick, ein »Küss-mich-auf-der-Stelle-und-höre-nie-wieder-auf«-Blick.

Max küsste Katrin auf der Stelle und hörte sofort wieder auf. Er kannte die Mischung aus ungestümem Verlangen und traumatischem Ekel. Aber er kannte sie nicht in dieser Intensität. Der Kuss war anders als jeder bisher überstandene. Er war gewollt, von ihm selbst erzwungen und gesteuert. Seine Zunge war es, die ihre berührte und umhüllte, nicht umgekehrt wie sonst. Es gab keinen Druck dagegen, nur Verschmelzung. In ihrem Mund war es warm, weich und wohlig.

Max empfand Lust. Er wollte Katrin gerade seine Arme um den Hals legen. Er wollte sich an sie schmiegen, wollte beide Körper auf möglichst viele Berührungspunkte bringen und in dieser Stellung fixieren, wollte weiter küssen, bis ihnen die Luft ausging, bis sie Wasser brauchten oder zu verhungern drohten.

Doch dann, nach dieser Zehntelsekunde harmonischer Kussewigkeit, sprang ihm ein Befehl ins Gehirn, der dazu da war, einen Gedanken zu verhindern. Er lautete: Nur jetzt nicht an das Gegenteil denken, nicht an die fette Sissi. Und schon startete sie in ihm hoch und presste ihm imaginäre drei Finger in den Rachen. Er musste den Kuss sofort abbrechen und sich von Katrin losreißen, um das Ärgste zu verhindern.

Nun kam das Zweitärgste. Während er seinen bis zum Hals stehenden Übelkeitsspiegel abzusenken versuchte, schaute ihn Katrin an. Eine Serie folternder Blicke stach auf ihn ein: ein in ausgelieferter Ahnungslosigkeit harrender; ein in der Spannung zwischen unabdingbarer Hingezogenheit und rüder Abgewiesenheit verstorbener; ein rasche und lückenlose Aufklärung einfordernder; ein zur sofortigen Wiedergutmachung aufrufender; und ein letzter Blick, ein den unbegreiflichen Abbruch nicht wahrhaben wollender.

Danach schloss sie die Augen, rückte ihm wieder näher und strich mit ihren Fingern über seine Wangen. Sie verlangte nach einem zweiten Kuss, der die beklemmende Sequenz des weggeworfenen ersten Kusses wegen übertriebener Unlogik vergessen lassen sollte.

Bevor sich ihre Lippen berühren konnten, drehte Max seinen Kopf zur Seite. Er wusste nicht, wann er sich für eine Geste jemals mehr geniert und gehasst hatte als jetzt für diese. »Kann ich ein Tuch haben?«, fragte er beinahe stimmlos. »Ich muss dem Hund die Pfoten und das Fell abwischen, sonst macht er alles dreckig.« – Danach war es still. Dazu hatte Katrin nichts zu sagen.

»Willst du gehen?«, fragte sie ihn eine Ewigkeit später. Dazwischen war nichts. Kein Wort, kein Blick, keine Regung. Oder? Oh doch, natürlich, sie hatte ihm die Wohnung gezeigt. Er hatte sie vermutlich darum gebeten. Die Wohnung war groß, hell und möbliert, glaubte er sich nachher erinnern zu können. Ob und worüber sie sich unterhalten hatten, wusste er nicht mehr.

»Nein, ich will noch nicht gehen. Ich will dir etwas erklären«, erwiderte er angespannt ruhig, wie ein zynischer Lehrer, der seinen Beruf verabscheut, weil er den Stoff nicht vermitteln kann. Er nahm sie bei den Schultern, um im Falle der Unwirksamkeit seiner Worte mittels Schütteln einen Umschwung herbeiführen zu können: »Katrin, mir g ...« – Er schluckte und würgte den Satz hinunter. (»Kannst du nicht endlich einmal ein anderes Wort als ›grausen‹ verwenden?«, hörte er Paula fragen.) »Mir tut es nicht gut, wenn ich küsse.« – Für den Missklang dieses Satzes haftete Paula mit dem Wert der Apotheke, dachte er.

»Dir tut es nicht gut?«, fragte Katrin, vielleicht um die Aussage mit eigener Stimme ein kleines Stück aus der Irrealität zu ziehen. Ihr Blick war mit einem Schleier überzogen, als hätte sie sich Vorhänge umgehängt, um die Augen zu schützen. »Dann tu 's nicht«, sagt sie. »Niemand zwingt dich dazu.« Das klang kosmetischer als ein Vorwurf. Jetzt war sie weit entfernt von ihm, stand gesichtslos wie ein kühles Modell vor einem anonymen Betrachter. Sie hat »küssen« mit »lieben« verwechselt, spürte Max. Alle Frauen verwechselten küssen mit lieben, das war sein Problem.

An der Tür klingelte es, beide erschraken, für beide war der Schreck erlösend, endlich konnten sie ihre Erschrockenheit ausleben. So was passierte normalerweise nur in Filmen, die noch rasch gut ausgingen oder in einer endgültigen Katastrophe enden wollten. Im konkreten Fall musste der Regisseur übergeschnappt sein: Denn Hugo Boss junior (oder ein als solcher verkleideter Tennislehrer) stellte einen Baum von Orchidee vor der Tür ab, trat ein und fragte: »Störe ich?« Dagegen klang »Mir tut es nicht gut, wenn ich küsse« wie ein Hamlet-Zitat, dachte Max.

Der Mann schob ihm unter dem Decknamen »Aurelius« eine makellos flache hornige Hand entgegen. Sein kantiges Gesicht drehte sich über die Schulter zu Katrin, um einer weinerlichen Miene zu gestatten, sich bei ihr zu entschuldigen, davon ausgegangen zu sein, dass sie für diese Stunde (er blickte mit den Zähnen voran auf eine goldene Armbanduhr) hier ein Treffen vereinbart hatten, um anschließend ins Kino zu gehen. »Ich habe dir eine E-Mail geschickt«, begründete er. »Du hast nicht geantwortet«, begründete er. »Das Tor war offen«, begründete er. »Da dachte ich mir …«, begründete er.

»Schön, dass du gekommen bist«, sagte Katrin wie ein Tonband. »Ich war ohnehin gerade dabei zu gehen«, vervollständigte Max im Gleichklang. Mit dieser spektakulären Lüge hatte er seine Niederlage freiwillig besiegelt. Als guter Versager reichte er Katrin so warm wie möglich die Hand und quetschte ein beinahe geschmunzelt taktvolles »Danke schön« heraus. Im Esterhazypark wünschte er sich, wie eine Herde frustrierter Wölfe losheulen zu können. Doch er musste an Paulas Gesicht denken und dabei lachen.

Aurelius durfte nicht lange bleiben. Katrin erlitt Sekunden, nachdem Max die Wohnung verlassen hatte, einen heftigen Migräneanfall, der sich noch verstärkte und in Schreikrämpfe überging, als ihr Aurelius vorschlug, neben ihrem Bett sitzen zu bleiben, bis sie sich besser fühlte. Nach einer Viertelstunde hatte sie ihn endlich so weit, dass er einsah, ihr nicht helfen zu können, und ging. Mit dieser Hinauswurf-Leistung konnte sie sich einige Zeit über die erlittene Enttäuschung hinwegtrösten.

Dann spürte sie, wie in ihr die Bitterkeit des Kuss-Erlebnisses hochstieg. Sie beschloss, nicht davor zu flüchten. Sie gab vor sich zu, in Max hoffnungslos verliebt zu sein. Aber sie schwor sich, das Wort »hoffnungslos« wörtlich zu nehmen und ihm keine Chance mehr zu geben, ihr näherzukommen. Zur Bestätigung steckte sie Telefon-, Fernsprech- und Computer-Kabel aus.

Um sich in ihrem Unglück noch professioneller zu fühlen und gewissenhafter zu suhlen, legte sie sich ins Bett, drehte das Fernsehgerät an und surfte durch die Kanäle. Bei einer Dokumentation zum Thema »Früherkennung und wirksame Methoden gegen Hepatitis E« blieb sie hängen. Das war ein würdiger Ausklang dieses Abends, dachte sie. Beim fünften Hepatitis-E-Patienten, der über seine Erfahrungen berichtete, gönnte sie sich den Luxus einzuschlafen.

17. Dezember

Als Katrin aufwachte, war irgendetwas anders als sonst. Natürlich fiel ihr sofort das Kussdesaster ein. Auf diesem ließ sich kein Montag aufbauen, kein Arbeitstag, Wintertag, Dezembertag, Adventtag, siebenter Tag vor Weihnachten, siebenter Tag vor dem 30. Geburtstag. Darum öffnete Katrin lieber erst gar nicht die Augen. Darum bemühte sie sich, in einen die Gedächtnisleistung ausschaltenden, bewusst bewusstlosen Agoniezustand zu verfallen. Sie fühlte sich ans Bett gefesselt und jeder Arzt, der etwas von Psychologie verstand, hätte ihr die Unfähigkeit attestiert, dieses in den nächsten Tagen zu verlassen.

Aber irgendetwas war anders. Es roch anders. Katrin fehlte die Kraft, diesem Geruch nachzugehen. Sie verkroch sich unter der Decke, bemühte sich, an nichts zu denken, und wenn ihr Gedanken an Max in den Kopf stiegen, so drückte sie sie mit dem Kopfpolster nieder. Noch nie hatte sie ein Mann so tief verletzt. Noch nie hatte sie sich in einem Gefühl der Zuneigung so sehr getäuscht. Noch nie war sie in einem Zustand der vollkommenen Öffnung und Hingabe schroffer zurückgewiesen worden. – Küssen tat ihm nicht gut, nein, küssen tat ihm eben nicht gut. Es tat ihm nicht gut, tat ihm nicht gut, tat ihm nicht gut, diesem Schwein!

Aber irgendetwas war anders. Auch tief unter der Decke. War es ihr Atem? Woher hatte sie plötzlich diesen schweren Atem? Hatte sie vom Vorabend einen psychosomatischen Schaden davongetragen? Hatte sie plötzlich Asthma? Sie hielt die Luft an und hörte in sich hinein. Da war ein Geräusch, aber es kam von außen. Bauarbeiter? Dachdecker? Schneeschaufler? Nein, es war näher. Es war wie ein immer währendes leichtes Beben. Das Epizentrum musste sich im Raum befinden. Das Bett vibrierte.

Katrin war noch nicht bereit, der mysteriösen Sache auf den Grund zu gehen. Sie konnte noch keine Alltäglichkeiten zulassen. Sie presste die Augen zu, drückte die Handinnenflächen auf die Ohren und versuchte (vergeblich), an nichts zu denken. – Was war das für ein Komiker, dem küssen nicht guttat? Was war das für ein Perversling? Wieso musste sie auf ihn hineinfallen? Wieso gefiel ausgerechnet er ihr? Wieso ließ sie diesen einen von Tausenden an sich heran? Wieso kam er überhaupt an sie heran? Geld hatte sie keines. Küssen tat ihm nicht gut. Sex wollte er also keinen. Was wollte er eigentlich von ihr?

Ihre Hand suchte den Polster zum Ersticken der Gedanken. Dabei berührte sie einen Gegenstand. Wecker? Buch? TV-Fernbedienung? Nein, es war etwas anderes, Weicheres, Unförmigeres. Katrin fühlte ihr Herz klopfen. – Überraschend, dass ihr Herz noch da war. Sie hätte gerade noch gern für immer darauf verzichtet. Aber jetzt brauchte sie es plötzlich. Sie war aufgeregt. Irgendetwas war los in ihrem Bett.

Sie schob den Kopf unter der Decke hervor, drehte sich zu dem entdeckten Gegenstand und öffnete einen Spalt ihrer Augen. In diesem Moment vereinigten sich mehrere Sinneswahrnehmungen zu einem Bild der Erkenntnis – zu rasch für einen hysterischen Aufschrei, zu langsam für einen Herzinfarkt. Katrin drückte an dem Gegenstand. Er gab unter einem entsetzlich quietschenden Geräusch nach. Es war die wiehernde Leberkäsesemmel. Auf halbem Wege des Reizes zur Ausarbeitung im Hirn fiel etwas auf Katrins Schulter. Ein Arm. Ein geknickter Arm. Ein dünner Arm.

Ein behaarter Arm. Ein dicht behaarter Arm. Gleichzeitig kroch ihr ein warmer Luftzug in die Nase. Der Geruch war faulig wie Laub aus der Kloake.

Katrin riss die Augen auf und blickte in sein drahthaarumhülltes Antlitz. Kurt. Er starrte sie aus großen würfelförmigen Augen an. Die Schnauze rieb nur Millimeter von ihrer Nase entfernt rhythmisch auf dem Leintuch. Die Zunge kassierte eine frisch angespülte Schicht Speichelschaum von der Lefze ein und schleuderte ein paar Tropfen davon auf Katrins Polster. Alle paar Sekunden verließ ein aus der Tiefe des Rachens hinaufgezogener grollender Seufzer der Behaglichkeit sein Maul.

Weiter unten klopfte der Drahthaarschwanz in kurzen Intervallen gegen die Bettkante. Das machten Hunde, wenn es ihnen gut ging, wusste Katrin. Sie fühlte sich der Situation ausgeliefert und weder mental in der Lage noch moralisch verpflichtet, sich damit auseinanderzusetzen. Sie hatte dieser morgendlichen Begegnung nichts hinzuzufügen. Kurt ging es gut. Er lag flach wie eine Spielkarte und gestreckt wie ein Schuhlöffel auf den schwarzbraun eingefärbten laschen Überresten eines ehemals weißen Spannleintuches quer über ihrem Doppelbett. Er fühlte sich wohl, sie vergönnte es ihm. Er war vergessen worden und hatte das Beste daraus gemacht.

Interessanterweise war der Hund der Erste von beiden, der das Bett verließ. Er kam mit den veränderten Bedingungen besser zurecht als Katrin. Da er schon einmal vor dem Badezimmer stand, konnte man ihn eigentlich unter die Dusche stellen, dachte sie. Dem Fußboden schadete es nicht und ihr selbst war es egal. Sie hatte ohnehin nichts Besseres vor. Es war halb acht, eine halbe Stunde vor Arbeitsbeginn. Die ersten Augenarztpatienten kreisten wahrscheinlich bereits blind um die Ordination. Doktor Harrlich war sicher schon anwesend und bereitete sich auf seine verbale Morgengabe vor: »Guten Morgen, schönes Fräulein. Ich wünsche Ihnen einen angenehmen Arbeitstag zu Beginn einer sehr intensiven Arbeitswoche. Wir erwarten heute dreißig Patienten. Falls Sie etwas brauchen – ich bin telefonisch jederzeit für Sie erreichbar …«

Und sie duschte daheim einen grindigen Hund, mit dem sie gerade noch das Bett geteilt hatte. Mutter und Vater sollten sie so sehen! Er stand wie ein verfallenes Kriegerdenkmal in der Badewanne und hatte die Warnblinkanlage seiner Augen aktiviert, um den Anschein zu erwecken, die Wasserzufuhr jederzeit stoppen zu können. Beim Abtrocknen brummte er wie ein Waschbär, beim Bürsten röhrte er wie ein Hirsch. Er kam ihr ungewöhnlich rege vor, als hätte er eine Überdosis Antriebstabletten eingenommen.

Während sich Katrin anzog, ging er im Vorzimmer unruhig auf und ab. Einige Male stürzte er sich wie ein Berserker auf seine Leberkäsesemmel, biss herzhaft hinein und schleuderte sie gegen die Wand, wo ihr Wiehern mit einem Schlag verstummte.

Dann stand er wie versteinert davor, zählte im Geiste bis fünf (sofern er so weit zählen konnte) und besprang das wiehernde Plastik auf ein Neues. Hätte sie nicht gewusst, dass Kurt so etwas niemals tun würde, hätte sie den Eindruck gehabt, er spielte.

Im Übrigen war es an der Zeit sich einzugestehen, dass es bezüglich des Hundes Dinge gab, die es zu überlegen galt, dachte Katrin. Zum Beispiel: Wie kam es, dass er bei ihr ungestört übernachtete? Oder, noch viel interessanter: Was sollte jetzt mit ihm geschehen? War das eigentlich ihr Problem? – Nein. War es das Problem des Herren, dem küssen nicht guttat? – Jawohl. Konnte sie Kurt allein daheimlassen? – Jawohl. Wollte sie ihn allein daheimlassen?

– Nein. Es gefiel ihr, dass er bei ihr war. Er war bestimmt ein guter Ordinationshund. Er sollte sie begleiten. Er gehörte vorerst zu ihr. Das gab ihr ein gutes Gefühl, dabei verspürte sie eine Art liebevolle Rache. Damit hatte sie ihn irgendwie an der Leine, dachte sie, Kurts Herrl, den Herren, dem küssen nicht guttat, diesem Schwein!

Max hatte eine schlaflose Nacht hinter sich. Abends nach dem Abgang bei Katrin fehlte ihm alles, was einen Menschen ausmachte. Am wenigsten fehlte ihm Kurt, deshalb ging ihm der Hund auch nicht ab. Erst als er seine Wohnung betrat und den Sessel sah, unter dem Kurt nicht lag und nicht schlief, wusste er, dass er ihn vergessen hatte, entweder im Park oder (ein schlimmer Gedanke in einem von schlimmen Gedanken bereits reich bestückten Kopf) am Ort seiner schwersten Niederlage in einer Liebesangelegenheit, dort, wohin es für ihn im Grunde kein Zurück mehr gab.

Die Polizei hatte keinen herumirrenden Hund gefunden, die Feuerwehr wollte keinen suchen. Die Rettung wäre nur im Fall eines Tollwutbisses interessiert gewesen. Fünf Abgängigkeits-E-Mails an Katrin verkümmerten im Netz. Ein Dutzend Telefonanrufe versickerten in der Leitung. Es gab kein Freizeichen, nicht einmal ein Besetztzeichen, gar kein Zeichen. Katrin und Hugo Boss junior wollten offensichtlich nicht gestört werden. Wahrscheinlich küsste er gut. Irgendetwas Anziehendes musste der geschleckte Mann ja haben.

So blieb Max nur noch der Canossagang durch den Esterhazypark, um einen am Rande der Liebestragödie auf der Strecke gebliebenen Hund zu suchen, der sich vermutlich irgendwo eingegraben und zur Ruhe gesetzt hatte, der jedenfalls bestimmt kein Problem damit hatte, verloren gegangen zu sein. Max fühlte sich auf erfrischend winternächtliche Weise von seinem Kuss-Eklat abgelenkt. Besser konnte seine Aus- oder Abgangssituation im Augenblick ohnehin nicht werden, also wurde sie eben noch schlechter. Es war ihm, als würde er die gerechte Strafe für sein stümperhaftes Versagen abbüßen. Und Buße in Form völlig sinnloser Buschdurchforstungen um drei Uhr nachts hatte etwas Selbstreinigendes.

Da sich im Park nichts rührte (Kurt also überall hätte sein können), näherte sich Max dem Ausgangspunkt des Gescheitertseins. Je fünfmal schlich er um Katrins Häuserblock, dreimal klingelte er an der Fernsprechanlage. Einige Male hob er den Kopf zum ersten Stockwerk und rief »Kurrrrrt«. Es klang wie ein Rülpser eines halb gefrorenen Graureihers. Aber selbst in hundertfacher Lautstärke hätte sich nichts gerührt: Eher weckte man Tote auf dem Friedhof als Kurt in einer Wohnung im ersten Stock, wenn man selbst auf der Straße stand.

Um 5 Uhr früh beschloss Max, die Suche abzubrechen. Mit dem unerfreulichen Resümee, an einem Abend Traumfrau und Hund verloren zu haben, legte er sich ins Bett und schlief noch in der gleichen Minute ein.

Als er zu Mittag erwachte, hatte er etwas zu erzählen. Er wusste auch sofort wem: Paula. Sie war die beste und engagierteste Traumdeuterin, die er kannte. »Und wie lief es?«, fragte sie am Telefon. »Nicht so ganz optimal«, erwiderte Max. Zum Glück hatte sie am Abend Zeit, ihn zu besuchen und sich Details anzuhören. »Paula, ich brauche ganz dringend deine Hilfe«, sagte Max. »Das freut mich«, erwiderte sie nüchtern. Es freute sie mehr, als sie es zugeben konnte.

So, und jetzt sofort zu Katrin: Die Telefonnummer von

der Ordination hatte er. Was zu sagen war, wusste er. Er fühlte sich von seinem Traum befangen, er war nicht einmal aufgeregt, als er ihre Stimme hörte. »Hallo, ich bin es, Max«, sagte er. »Hast du zufällig Kurt gefunden? Kann es sein, dass ich ihn bei dir vergessen habe? Katrin, du musst mir glauben, ich habe die ganze Nacht versucht …« Was war das? Da. Noch einmal das gleiche Geräusch. Und noch ein drittes und viertes Mal. Es wollte gar nicht mehr verstummen.

»Katrin?«, fragte Max. »Ich höre«, sagte sie amtlich. »Was ist das für ein Lärm?« – »Kurt«, erwiderte sie scharf. »Das ist doch Hundegebell«, widersprach Max. »Das ist Kurt!« Das klang leicht angespannt. »Ist er bei dir?«, fragte Max. »Kann man sagen. Aber nicht mehr lange!« Das klang ziemlich angespannt. »Seit wann kann Kurt bellen?«, fragte Max ungläubig. »Seit er meinen Patienten im Warteraum die in Schleim und Speichel gehüllte Plastikleberkässemmel auf die Schöße legt und wartet, bis sie sie durch den Raum schleudern. Und wehe, sie tun es nicht. Dann grollt er wie ein Abfangjäger. – Keiner traut sich mehr, es nicht zu tun.« Das klang gereizt. »Und wenn jetzt mein Chef hereinkommt und die Aktion im Warteraum sieht, dann kann ich mir einen neuen Job suchen!« Das klang sehr gereizt. »Nein, nicht ich werde mir einen neuen Job suchen, ihr beide werdet mir einen neuen Job suchen! Und jetzt sei bitte so gnädig und hol deinen Hund ab, sonst sitzt hier bald kein Patient mehr!« Das klang bedrohlich. Max machte sich sofort auf den Weg.

Die Begegnung mit Katrin in der Mittagspause war kurz. Max fand sie wunderschön (weder die Begegnung noch die Mittagspause, sondern Katrin), aber das spielte leider überhaupt keine Rolle mehr. Kurt war nicht wiederzuerkennen. Max bemühte sich auch, ihn nicht wiederzuerkennen. Aber es half nichts, er war es, und er erkannte seinen Besitzer wieder. Er sprang ihn an und schleckte seine Wangen. Dann zeigte er ihm seine Leberkäsesemmel und was man damit machen musste, damit er aufhörte zu bellen. Kurt auf den Beinen zu sehen, war wie eine optische Täuschung, wie ein leichtsinniger Irrtum der Natur. Ihn bellen zu hören, war einerseits irreal, andererseits real genug, um nicht länger als ein paar Sekunden erträglich zu sein. »Hast du ihm etwas gegeben?«, fragte er Katrin vorsichtig. »Nein«, sagte sie, »er ist derjenige, der gibt.«

»Katrin, wegen gestern …«, begann Max. »Lassen wir gestern«, sagte sie und lächelte so, wie man lächelte, wenn man versuchte, so zu tun, als würde man tapfer lächeln. In der Kombination mit diesem Gesichtsausdruck klangen die Worte wie: »Wir können ja Freunde bleiben.« Vermutlich waren sie auch so gemeint.

»Was bin ich dir wegen Kurt schuldig?«, fragte Max. »Die Reinigung«, erwiderte Katrin. »Er hat neben mir in meinem Bett geschlafen.« Sie sah ihn von unten in die Augen und ließ ihren Blick dort ruhen. Es war ein »Das-hättest-du-haben-können-du-Vollidiot«-Blick. Max fühlte sich wie an die Hochspannungsleitung angeschlossen. Er hätte alles dafür gegeben, wenn sie ihm jetzt ihre Hände auf den Nacken gelegt hätte und mit allen zehn Fingernägeln ganz langsam seinen Rücken heruntergefahren wäre. Aber das gab es nur im Traum.

»Adieu«, sagte sie und reichte ihm die Hand. Er nahm diese in seine beiden Hände und streichelte sie zart. Ihre Köpfe bewegten sich keinen Millimeter aufeinander zu. Aber die Blicke waren ineinander verkeilt. Max spürte, dass es Sinn hatte, um Katrin zu kämpfen. Er wusste zwar noch nicht wie. Aber er wusste, dass er von vorne anfangen musste. Im Übrigen hatte sie magische Kräfte. Sie hatte Kurt lebendig gemacht.

Noch bevor Paula kam, hatte sich Kurt beruhigt. Die Wirkung der Droge, die er bei Katrin eingenommen haben musste, hatte nachgelassen. Er ging noch ein paar Mal in der Wohnung auf und ab, scheinbar um nachzusehen, was er die letzten beiden Jahre hier versäumt hatte. Dabei schlich er sich von hinten an Max heran, blieb dann minutenlang regungslos stehen und wartete, bis sich sein Partner umdrehte und zu Tode erschrak. Auch forderte er an diesem Abend erstmals in der Geschichte der Lebensgemeinschaft mit Max ein Nachtmahl (Wildbeuschel) ein, indem er an der entsprechenden Küchenlade kratzte und schabte, bis sie sich endlich öffnete. Doch nach dem Essen (er hockte diesmal makellos aufrecht, wie für Chappi-Dreharbeiten, vor seiner Schüssel und aß deutlich lustvoller als sonst) erinnerte er sich wieder an seinen eigentlichen Lebenssinn, legte sich unter seinen Sessel und tauchte nur noch sporadisch auf, um Max zu erschrecken.

Paula war, um dem mystischen Anlass der Traumdeutung gerecht zu werden, wie eine orientalische Medizinfrau gekleidet und geschmückt. Ihr schmales Gesicht rund um die großen dunklen Augen war silberweiß geschminkt, um ihren Hals und an den Armen und Beinen hingen dicke Ketten mit großen, in Rottönen funkelnden Steinen. Ihr Bauch war frei, vermutlich um den blau schimmernden Nabelring zu belüften. Ihre dichten schwarzen Haare waren aus dem Gesicht nach hinten gekämmt und zwischen den Schulterblättern gebunden. Von dort weg fiel ein geflochtener Zopf bis zum Rockansatz.

Paula war eine der Frauen, die auf keine Sitzgarnitur passten, die nicht wussten, wie sie ihre Beine dort unterbringen sollten. Eine Frau, die darunter litt, dass es sich die westlich zivilisierte Menschheit abgewöhnt hatte, die Mußezeit auf dem Fußboden zu verbringen. Eine Frau, deren Knie im Sitzen stets nach oben ragen mussten und nie tiefer gelagert waren als ihre Schultern.

Als sie sich mit dem Aufenthalt auf der orangeroten ledernen Designer-Sitzecke abgefunden hatte, als der Raum sein Licht wenigstens bereits ausschließlich von Kerzen bezog und den Geruch ihres Gastgeschenks, eines selbst gemischten Sieben-Steppenkräuter-Entspannungs-Tees, angenommen hatte, durfte Max zur Sache kommen.

Das Kuss-Drama mit Katrin war rasch berichtet. Paula fühlte sich persönlich betroffen und als Ratgeberin herabgewürdigt. Es war ja ihr Kuss-Aufschub-Programm, welches von Max auf idiotische Weise ad absurdum geführt worden war. Wegen Hugo Boss junior brauchte er sich keine Sorgen zu machen, meinte sie. Aber ob sich Max jetzt noch Hoffnungen machen durfte, eine andere als eine platonische Beziehung zu Katrin aufbauen zu können, war für sie fraglich. »Du hast Glück, dass du einen Hund hast«, meinte Paula. »Wenn dir da noch einer helfen kann, dann er.« Danach erzählte ihr Max von seinem Traum:

Sie saßen auf der gleichen orangeroten Couch, er und die Frau: Katrin, natürlich war es Katrin. Sie sah vielleicht ein bisschen asiatischer aus als sonst. Sie hatte extrem schmale, nach unten gezogene mandelförmige Augen. – Zumindest manchmal, dann wieder nicht, wie das in Träumen eben so war, da legte man sich in Äußerlichkeiten nicht so fest. Max und sie waren jedenfalls eng ineinander verschlungen. Katrin roch nach Kokosnuss, nein, süßer, nach Batida de Côco, aber nicht so billig. Phasenweise war sie nackt und hatte extrem große Brüste. (Paula riss die Augen auf und ließ die Pupillen im Sinne von »Oh Gott« nach oben wandern.)

Und sie sagte, nein, sie hauchte, sie flüsterte ihm zu: »Bitte küsse mich!« Diese Redewendung war Max bekannt. Sie kam praktisch in all seinen Albträumen vor. Es war dies auch der Punkt, an dem Max Träume im Schulterschluss zur Realität regelmäßig kippten und wegen bedrohlicher Übelkeit abgebrochen werden mussten. Aber diesmal ging der Traum überraschend weiter. Die Zungen berührten einander, und es war wieder dieser hochempfindliche Gefühlsschauer da, dieser steile emotionelle Grad zwischen gierigem Verlangen und spontanem Brechreiz. Das war dem traumatischen Erlebnis mit Katrin originalgetreu nachempfunden.

Ebenfalls nicht neu war der Grund für das Magenproblem, das plötzliche Auftauchen des Bildes der fetten Sissi mit all ihren zugehörigen Gerüchen und Essenzen. Neu war, dass das Bild sich während des Küssens änderte. Je länger er durchhielt und küsste, desto weiter entfernte sich die fette Sissi von ihrer Kindheitserscheinung, desto älter wurde sie. Und auch Max hatte das Gefühl, im Küssen zu reifen.

Natürlich war ihm zwischendurch wieder mächtig übel. Er musste Katrin mehrmals sanft zurückweisen, ihre Zunge ausquartieren, kräftig durchatmen. Sie fand nichts Schlimmes dabei. Sie hatte Geduld und Verständnis. Oder: Es fiel ihr vielleicht gar nicht auf, dass er mit einem schweren Problem kämpfte.

Von Mal zu Mal ging er mit größerer Leidenschaft daran, Katrin zu küssen. Er vergaß ihren Körper, schloss seine Augen und konzentrierte sich ganz auf seinen und ihren Mund und deren gemeinsames Innenleben. Das Bild der älter werdenden fetten Sissi wurde dabei immer schärfer. –

Bis sie plötzlich neben ihnen auf der Couch saß und sie beim Küssen beobachtete. Sie musste etwa in seinem Alter gewesen sein, sie war blond und mollig, konservativ, aber geschmackvoll angezogen. Sie roch dezent nach Veilchen und einer angenehmen Hautcreme.

»Hat sie in das Liebesspiel eingegriffen?«, fragte Paula ungeduldig und stützte ihren Kopf auf eines ihrer Knie. »Aber nein«, sagte Max. »Glaubst du, ich träume Pornos?« – »Sie wollte gar nicht von dir geküsst werden?«, fragte Paula enttäuscht. »Nein, sie wollte nur zusehen, sie wollte mich dabei beobachten.« – »Sie wollte schauen, wie es dir beim Küssen geht«, ergänzte Paula. »Richtig«, sagte Max.

»Und dir ging es gut«, fuhr Paula fort. – »Sehr gut«. – »Und du willst von mir wissen, warum«, sagte Paula. »Weißt du es?«, fragte Max. »Aber sicher«, sagte Paula. »Weil die fette Sissi beim Kuss dabei war. Weil sie gar nicht mehr fett und ungustiös war. Weil sie dir die Vergänglichkeit deines Trugbildes vor Augen geführt hat. Weil sie dir half, dein Kindheitstrauma aufzuarbeiten.« – »Klingt nach Sigmund Freud«, sagte Max. »Glaubst du, ich erfinde solche Sachen?«, fragte Paula. »Jedenfalls würde ich sie an deiner Stelle so rasch wie möglich aufsuchen.« – »Katrin?«, fragte Max. »Nein, diese fette Sissi.« – »Bist du wahnsinnig? Wie soll ich sie finden? Und was soll ich ihr sagen? Soll ich sagen: ›Guten Tag, mein Name ist Max. Wenn ich beim Küssen an Sie denke, gnädige Frau, dann kommt mir das Speiben, und das seit fast zwanzig Jahren‹?« – »Du bist unseriös! Ich fürchte, das werde ich in die Hand nehmen müssen«, sagte Paula gelangweilt. »Das würdest du tun?«, fragte Max.

18. Dezember

Der Morgen war dunkelgrau. Der Vormittag war mittelgrau. Der Mittag war hellgrau. Der Nachmittag war mittelgrau. Der Abend war dunkelgrau. Die Nächte davor und danach waren schwarz. Dazwischen schneite es dünne spitze silberweiße Flocken.

In einem der lichtesten Momente des Tages traf Katrin ihre Mutter. Sie musste dringend mit ihr reden. (Mutter mit Katrin.) Das musste sie schon vor einer Woche, aber da die Dringlichkeit bereits damals die höchste Stufe erreicht hatte, ließ sich Mutters Zustand stabilisieren und sie sich telefonisch vertrösten. Aber einmal musste es sein. Und dieser Dienstag im Zeichen des unermüdlichen Schichtarbeiterprogramms der städtischen Grautöne schien Katrin für die Erledigung von aufgeschobenen Pflichten prädestiniert zu sein, damit neue, aktuellere nachrücken konnten.

Am Vormittag war es Katrin gelungen, in den Besitz von acht unterschiedlichen Weihnachtsgeschenken zu gelangen, die allesamt bekannt- und verwandtschaftskompatibel waren. Das heißt: Man konnte jedes Ding jeder Person schenken, man musste die entfernten Tanten, die im Advent stets bedrohlich nahe rückten, nicht einmal persönlich kennen. Es waren Duftkerzenständeruntersätze, Teezangenabstellschüsseln und Gesundheitsbadekapselablegevorrichtungen. Hundertprozentig programmierte Volltreffer, angesichts derer die Beschenkten zumeist ein entzücktes: »Oh, das ist aber etwas Originelles! Ich wusste gar nicht, dass es so etwas gibt!« ausstießen. Diese Leute waren ja dankbar über alles andere als den jährlichen Viertelkilo-Ziegel koffeinfreien Kaffee.

Als Katrin in das Kaffeehaus eintrat, saß Mutter schon vor einer Schale Tee. Sie lächelte wie nach der Einnahme einer Überdosis Candisin. Und sie hatte den vorwurfsvollen »Kind-wie-du-aussiehst!«-Blick einer jener Mütter, die sich permanent anschickten, an ihrer Besorgtheit zugrunde zu gehen. »Du isst ja gar nichts mehr, du bestehst nur noch aus Haut und Knochen, Goldschatz«, klagte sie, als ihr Blick dem Grad der Besorgniserregung nicht mehr standhielt.

Katrin bestellte, dazu passend, roten Glühwein. Sie mochte ihn zwar nicht, aber sie brauchte ihn. Mutter sah mit gespitztem Mund auf die Uhr, um die zeitliche Alkoholkurve der dem Verfall preisgegebenen Tochter zu messen, und schüttelte dabei den Kopf. »Goldschatz, dein Vater macht sich ernsthaft Sorgen«, sagte sie. Zum Glück war Mutter verheiratet, dachte Katrin, sonst hätte sie ihre eigenen Tonnen ernsthafter Sorgen tatsächlich allesamt auf sich nehmen müssen. – »Mama, mir geht es gut. Alles ist in Ordnung. Ich lebe mein Leben«, sagte Katrin. Dafür erntete sie – stellvertretend für die bestimmt nicht kleiner gewordenen ernsthaften Sorgen des Vaters – ein Bündel mitleidiger mütterlicher Blicke.

Bis zum zweiten Glühwein ihrer Tochter hielt sich Mama tapfer tränenfrei. Sie erzählte von glücklich verheirateten Schulfreundinnen, die sich nach Katrin erkundigt hatten, von ihrer für Jänner geplanten Tournee durch alle einschlägigen Facharztpraxen (einschließlich ihres monatlichen augenheilkundlichen Besuchs bei der Tochter) und von den ergreifendsten medizinischen TV-Dokumentationen der vergangenen Wochen. (»Früherkennung und wirksame Methoden gegen Hepatits E« dürfte sie versäumt haben.)

Außerdem hatte sie aktuelle Fotos der neuesten Babys der drei Töchter der Tante Helli dabei, um Katrin den Mund wässrig zu machen. – Aber die trank lieber Glühwein.

Schließlich ging es um Weihnachten und den 30. Geburtstag und was sich Katrin davon erwartete und von ihren Eltern wünschte. Sie erwartete und wünschte sich nichts, was mit ihren Eltern zu tun hatte, außer Ruhe und familiäre Drucklosigkeit. Doch: Sie erwartete zwar nicht, aber sie wünschte sich, dass die Eltern irgendwann einmal aufhörten sie zu fragen, was sie sich von ihnen erwartete oder wünschte. Denn tatsächlich erwarteten und wünschten sich nur die Eltern von ihr und für sie: einen Mann. Wenigstens die Sache mit dem Hund, die einen Besuch bei den Eltern am Heiligen Abend ausschloss, hatte Mutter schon vergessen oder verdrängt oder nie ernst genommen. Somit konnte das Thema noch einige Tage aufgeschoben werden, dachte Katrin.

»Kind, er war bei mir«, sagte Mutter dann mit schicksalschwangerer Stimme und jetzt marschierten erste Tränentropfen über das hügelige Kummerfaltengelände ihres Gesichts. – Das Gespräch bewegte sich unverkennbar seinem Höhepunkt zu. Katrin brauchte einen kräftigen Schluck Glühwein. »Und er würde dich sofort wieder nehmen!«, verkündete Mutter feierlich. – Oh Gott, Aurelius! Katrin hatte in einer spontanen Schreckensvision das golden gerahmte Hochzeitsfoto vor Augen, das auf dem TV-Gerät der Schulmeister-Hofmeisters platziert sein würde, wo jetzt das holzumrandete Firmlingsfoto von Katrin stand, vor dem Papa und Mama vermutlich tägliche Bittgebete sprachen.

Wenn er ihr ein bisschen mehr egal gewesen wäre, hätte sie ihn ihren Eltern zuliebe geheiratet und sich erst nach deren Tod wieder von ihm getrennt. Sie musste ja nicht mit ihm ins Bett gehen. Und Kinder hätten sie schon von irgendwoher adoptiert. Aber Aurelius war ihr eben nicht egal. Wenn sie an ihn dachte, juckten ihre Nieren und wölbten sich die Zehennägel. Sie konnte sich nicht mehr vorstellen, auch nur eine Nacht neben ihm im gemeinsamen Bett zu verbringen, Nachthemd an Pyjama. Da lieber einen Monat neben Kurt – und zwischen ihnen die speicheltriefende wiehernde Leberkäsesemmel.

»Mama, ich liebe ihn nicht, überhaupt nicht«, sagte Katrin. Die Mutter biss sich auf die Lippen und wartete auf bessere Argumente. So erfuhr sie: »Ich liebe einen anderen.« – Keine taktisch kluge Mitteilung, aber Katrin war danach gewesen. Erstens klang es gut. Zweitens war Mutter vielleicht so nett und gab es an Aurelius weiter. Drittens wärmte es in der Kombination mit dem Glühwein ihr Körperinneres. Außerdem war sie schon ein bisschen betrunken und hatte ihr Nicht-an-Max-Denk-Verbot vorübergehend außer Kraft gesetzt.

»Einen anderen?«, fragte Mutter, ein Drittel entsetzt, ein Drittel entzückt, ein Drittel entrückt. »Doch nicht den mit dem Hund?« Jetzt war er ihr wieder eingefallen. So wenig sensibel Ernestine Schulmeister-Hofmeister mit den Gefühlen ihrer Tochter umzugehen verstand – solche Dinge wusste sie gleich. »Was macht er?«, fragte Mutter. »Einen guten Birnenkuchen«, antwortete Katrin. »Und wann lernen wir ihn kennen?«, fragte Mutter. »Nach mir!«, erwiderte Katrin. Mutter lächelte Candisin-sauer.

Kurt war wieder ganz der Alte. Am Morgen schlief er fest. Am Vormittag schlief er ziemlich fest. Zu Mittag schlief er recht fest. Am Nachmittag schlief er ziemlich fest. Am Abend schlief er fest. Dazwischen wurde er zweimal Gassi geschleift und einmal mit der Schnauze voran in die Fressi-

Schüssel gesteckt. Vermutlich war es ihm gelungen, diese Aktivitäten in seine Träume einzubauen, ohne extra aufzuwachen.

Max hatte in der Früh ein Schockerlebnis. Ihm war eingefallen, dass er berufstätig war. Danach konnte er nicht mehr einschlafen. Im Gegenteil: Ihm fiel ein, dass auch seine Chefs wissen mussten, dass er berufstätig war, und dass sie es in der Hand hatten, diese Tätigkeit zu beeinflussen, also zu beenden. Kurzum: Die wöchentliche aktuelle »Max'sche Kreuzworträtselecke« war einen Tag überfällig, das tägliche Kino- und Theaterprogramm für die Bezirkszeitung konnte an diesem Tag nicht erschienen sein (da Max es nicht erstellt hatte, und sonst gab es niemanden, der sich darum kümmerte). Für die Hundekolumne in »Leben auf vier Pfoten« war der Redaktionsschluss auf Dienstag früh vorverlegt worden; sie musste also schleunigst abgegeben werden, was eigentlich voraussetzte, dass sie schon verfasst war.

Und in der Schreibtischlade stapelten sich die unbearbeiteten Nacktfotos für die »Rätselinsel«. Einem der Pinups mussten dringend ein paar Zeilen auf den Leib geschrieben werden. Das wollte Max nun zuallererst machen. Es war die Arbeit mit der größten Chance auf morgendliche Inbetriebnahme seiner Blutzirkulation. Er suchte die Frau aus, deren Gesicht dem von Katrin am ähnlichsten war. Dazu schrieb er einen nachdenklich machenden, beinahe lyrischen Text des Inhalts, dass ihr Freund sie gerade stehen gelassen hatte, weil sie zu oft fremdgegangen war, dass sie jetzt ins Kloster gehen wollte und dass sie sich mit dieser exemplarischen Nacktaufnahme am Strand von Malibu von allen Männern und Gelüsten der Welt für immer verabschiedete.

Am späten Nachmittag fehlte ihm nur noch die Hundekolumne. Kurt lag unter seinem Sessel und schlief, womit er zum Inhalt wie üblich nichts beitragen konnte. Max hatte keine Lust mehr, an etwas anderes als an Katrin zu denken. Er wollte mit ihr spontan sieben Kinder haben, lauter Mädchen, die alle so aussahen wie sie und die jetzt alle auf seinem Schoß saßen und siebenstimmig »Guter Mond, du gehst so stille« sangen – achtstimmig, er selbst sang den Kontrabass.

Als das Lied gedanklich ausgesungen war, begann er zu schreiben. Es entstand eine Geschichte, die von den Fingern und nicht vom Kopf verfasst wurde, in der nicht eine erlebte Episode nach geeigneten Worten der Vermittlung verlangt hatte, sondern zuerst die Worte gesetzt wurden; in ihnen begann die Phantasie zu blühen und daraus ergab sich schließlich eine Art Handlung. Für Leser, die an das Faktische, an das Naturwissenschaftliche von Tiergeschichten glaubten, waren Texte dieser Art boshaft und unzumutbar, wusste er. Zum Glück hatte »Leben auf vier Pfoten« keine Leser. Deshalb schrieb er die Legende für sich und Katrin. Auf diese Weise verbrachten sie einige innige Minuten miteinander.

TREUE AUGENBLICKE, Teil 84
Titel: Kurt erzählt eine Bettgeschichte
Text: Hallo liebe Tierfreunde, liebe Hundeliebhaber, liebe Deutsch-Drahthaar-Verbündete. Heute muss ich Ihnen eine ganz erstaunliche Geschichte erzählen. Kurt hat eine Nacht in einem fremden Bett verbracht, und in was für einem Bett!

Die Vorgeschichte war diese: Wir waren bei einer wunderschönen Frau eingeladen, wahrscheinlich war es die schönste Frau, die es an diesem Abend auf der Welt gab. Bei ihrem Anblick wussten wir beide nicht, wie uns geschah. Kurt sah sie und war sofort verliebt. Bei mir dauerte es ein paar Sekunden länger. (Menschen haben komplexere Gehirnfunktionen als Hunde.) Wenn sie ihn streichelte, wurde Kurt rot im Gesicht (und dankte dem Hundegott, dass man das unter seinem braunen Fell nicht bemerkte) und die Drahthaare standen voll elektrisiert in alle Richtungen. Wenn sie mich streichelte ... so war das leider nur ein kühner Wunschgedanke. Ich hatte einen hundsmiserablen Tag erwischt und musste ihre Wohnung bald wieder verlassen. Kurt durfte länger bleiben. Er durfte neben ihr im Bett übernachten. Er war der glücklichste Deutsch-Drahthaar-Rüde der Welt.

Am nächsten Tag, als ich ihn wieder in Empfang nahm, war er verändert. Er war um mindestens drei Jahre jünger und agiler geworden. Er sprang und spielte und bellte und kläffte, dass es eine Freude war (und weit darüber hinaus). Ich durchschaute seinen seelischen Zustand bald: Seine kaffeebraunen Glaswürfelaugen waren mit einem sanften Schleier überzogen, in welchem kleine goldene Herzen auf und ab tanzten.

Nun wissen Sie, liebe Tierfreunde, liebe Hundeliebhaber, liebe Deutsch-Drahthaar-Verbündete, dass es Möglichkeiten gibt, mit unseren Lieblingen in Gesprächskontakt zu treten. Wir werfen ihnen Fragen hin und sie antworten uns, indem sie bellen, und in der Art, wie sie es tun.

Sie werden sich vorstellen können, dass mich an diesem Tag vor allem eine Frage brennend interessierte: Wie war es neben dieser wunderschönen Frau im Bett? Kurt ist zum Glück nicht der Typ Hund, der Geheimnisse für sich behalten kann, wenn sie einmal eine so hohe Stufe der Emotionalität erreicht haben. Ich lud ihn zu einem Kreuzverhör auf meine Sitzgarnitur ein. Er nahm an, wählte eine bequem-schlampige Hockstellung, legte seinen Kopf auf meine Schulter und stand mir bereitwillig Rede und Antwort.

Konnte er neben dieser Frau überhaupt eine Minute schlafen? – Nein. (Lang gezogener hoher Laut.) Musste er sie die ganze Nacht beobachten und bewachen? – Ja, das musste er. (Kurzer, kräftiger, kehliger Laut.) Was hatte sie an? War es ein weißes Nachthemd? – Ja. Durchsichtig? – Wusste er nicht, war ihm auch egal. (Kein Geräusch.) Hatte es Verzierungen? – Ja. Kleine Kätzchen? – Nein. Gelbe Blumen, vielleicht Sonnenblumen? – Eher. (Kurzer, schwacher, kehliger Laut.)

Wie lag sie? Auf dem Rücken? – Nein. Auf dem Bauch? – Ja. Kopf zur Seite? – Ja. Zu seiner Seite? – Selbstverständlich. Was gefiel ihm besonders an ihr? Ihre langen Wimpern? – Ja, sehr! (Zwei kurze, kräftige, kehlige Laute.) Die Art, wie sie ihre Wange am Kopfpolster rieb? – Ja, sehr. Wie sie sich im Schlaf mit dem kleinen Finger auf der Nase kratzte? – Ja, sehr. Wie sie schluckte und atmete und seufzte? – Ja, sehr. Roch sie gut? – Ja, sehr. Wonach? – Konnte er nicht sagen, jedenfalls nicht nach Wildbeuschel. (Gähnen.)

Wie war es, als sie aufwachte? – Schööööön. (Kaffeebraune Glaswürfelaugen nehmen vorübergehend Herzformen an.) Hatte sie den wunderschönsten verschlafenen Blick, den Kurt jemals gesehen hatte? – Ja, ja, ja, den hatte sie, ohne Zweifel! (Drei kurze, kräftige, kehlige Laute.)

Kommen wir nun zu der allerwichtigsten Frage: »Kurt, wollen Sie diese Frau, die neben Ihnen in oben beschriebener beispiellos anmutiger Weise eine Nacht verbracht hat, zu Ihrem anvertrauten Frauerl nehmen, so sagen Sie: Ja.« – Kurt antwortete mit einem schnellen, kurzen, kräftigen, kehligen Laut. »Verstehe ich Sie richtig? Wollen Sie auf die Dienste Ihres bisherigen, Ihnen treu verpflichteten

Herrls, das Ihnen Hunderte liebevolle Zeilen gewidmet hat, zu Gunsten des neuen Frauerls verzichten?« – Extrem lang gezogener hoher Laut. Wollte er absolut nicht! »Kurt, wollen Sie alle beide haben?« – Drei kurze, kräftige, kehlige Laute. Das war eindeutig. »Wollt ihr drei zusammen leben?« – JAAAAAAAAAAAAAAA! Kurt richtete sich auf und balsamierte mir mit seiner fettflüssigen Zunge dankbar den Kehlkopf ein.

Liebe Tierfreunde, liebe Hundeliebhaber, liebe Deutsch-Drahthaar-Verbündete, damit sind wir am Ende unserer Geschichte. Schnauzbussi von Kurt. Weihnachtsgrüße von Herrl Max.

Katrin konnte nicht einschlafen. Sie hatte mit dem Mann, dem küssen nicht guttat, noch eine Rechnung offen – eine Reinigungsrechnung. Warum rief er sie nicht an? Warum musste sie um Mitternacht selbst zum Telefon greifen? Musste sie ihn wirklich fragen, ob sie ihm die Reinigungsrechnung schicken sollte oder ob er sie sich holen würde? War das notwendig? Warum zwang er sie dazu? Warum rührte er sich nicht?

Sie legte den Hörer auf die Gabel zurück, warf ihren Computer an und sah sofort seine Mitteilung. Er schrieb ihr: »Liebe Katrin, diese Geschichte ist für dich. Ich gebe zu, sie ist doof. Aber sie kommt von Herzen. Gute Nacht, Max.« Absatz. Dann: »Treue Augenblicke, Teil 84. Kurt erzählt eine Bettgeschichte …«

Katrin las sie dreimal. Dann druckte sie sie aus und las sie noch zweimal. Dann legte sie das Papier neben sich aufs Bett, dorthin, wo jüngst die Leberkässemmel gelegen hatte. Nach etwa einer Stunde machte sie Licht und las die Geschichte noch einmal. Dann drehte sie das Licht ab und schlief ein. Nach etwa einer halben Stunde (oder nach einer Stunde oder nach zwei Stunden) wachte sie auf und machte Licht. Sie hatte den genauen Wortlaut der Passage mit dem »verschlafenen Blick« vergessen. Dann drehte sie das Licht ab und schlief ein. Zwei oder drei Stunden später wachte sie auf, machte Licht, ging zum Computer und schrieb Max eine kurze E-Mail. Sie lautete: »Ich will mit dir schlafen und neben dir einschlafen.« Dann ging sie ins Bett, drehte das Licht aus und schlief ein.

19. Dezember

Ihr »Ich will mit dir schlafen und neben dir einschlafen« erregte und irritierte Max. Die Erregung bezog sich auf den ersten Teil und war das kleinere Übel, nein, sie war kein Übel, sie war das Gegenteil eines Übels. Sie war so heftig wie der Föhnsturm, der sich seit Stunden in die Fensterscheiben kniete – aber etwa 130 Grad Celsius wärmer. Und diese Hitze kam in Wellen, stieg ganz plötzlich in ihm hoch, zog rasch wieder ab und schwoll neuerlich an.

Er stellte sich vor, wie Katrin am Türstock lehnte, wie sie ihm einen jener Blicke zuwarf, die sofort entschieden, was folgen musste, und wie sie dann sagte: »Ich will mit dir schlafen.« Und er stellte sich vor, dass sie dabei einen ihrer Knöpfe öffnete, egal welchen. (Also gut: Nicht egal welchen! Zum Beispiel nicht einen ihrer Ärmel.) Es ging ihm dabei um die Drehbewegung ihrer Finger beim Knopföffnen, um das spielerische Signal der Bereitschaft, um das Vorher (Knopf zu) und das Nachher (Knopf offen), was sie ihm damit sagen wollte, wie sich ihr Blick dazu veränderte.

Und dann stellte er sich der Reihe nach vor, wie alles passierte. Es dauerte Stunden, was sich da in ein Sekundenkonzentrat seiner Phantasie drängte. Die Hitzewellen in ihm gaben sich die Türklinken in die Hand. Und: Es war keiner dabei, kein einziger frevelhafter, verwerflicher, zerstörerischer Kuss. Das war der feine Unterschied zwischen sexuellem Denken und Tun, darum zelebrierte er das eine und ließ das andere lieber sein.

Und eben deshalb irritierte ihn Katrins »Ich will mir dir schlafen und neben dir einschlafen«. Er hatte das schizophrene Gefühl, dass sie leichtfertig aussprach, was er selbst noch viel mehr wollte als sie. Er wünschte es so sehr, dass er nie gewagt hätte, es zu formulieren, schon gar nicht in dieser Direktheit. Sein Verlangen war zu groß für Worte, die auf Umsetzung drängten. Katrin verlangte zu viel für ihn – und von ihm.

Außerdem wollte er gerade abbiegen. Sie erwischte ihn mit ihrer Offenbarung ausgerechnet bei der Generalprobe zur Flucht an den Indischen Ozean. Er hatte das Flugticket und den Hotelgutschein zugesandt bekommen. Er hatte sein Sommergewand ausgepackt und von seinem Spiegelbild vorführen lassen. Er hatte das Fenster geöffnet, sich hinausgelehnt, dem aus finsteren Löchern pfeifenden Sturm Vergeltung geschworen und der vergrabenen Sonne eine Befreiungsaktion in Aussicht gestellt. Er war im Begriff, sich mit eigener Kraft aus dem Schneematschsumpf zu ziehen und sich von der weihnachtlich überschminkten städtischen Kettenpflicht zu befreien.

Katrin holte ihn mit ein paar Worten zurück. Die Vorstellung, die Verlockung, die Aufforderung, mit ihr zu schlafen und neben ihr einzuschlafen, ließ ihn nicht mehr los. Er beschloss, es zu tun (kostete es auch einen Kuss zu viel und verursachte es damit einen Abbruch und ein endgültiges Aus). Danach beschloss er, es nicht zu tun. Danach beschloss er, Paula zu fragen. Danach beschloss er, Paula nicht zu fragen, da er selbst schon erwachsen war.

Danach schrieb er an Katrin: »Ich will es auch, aber ich brauche noch ein bisschen Zeit.« Danach löschte er: »Aber ich brauche noch ein bisschen Zeit.« (Wenn er hilflos war, neigte er dazu, sich an die fürchterlichsten Phrasen der Menschheit zu versklaven.) Danach las er laut, was als Antwort übrig geblieben war: »Ich will es auch.« Danach las er es so oft, bis sich die letzten Stirnfalten der Unzufriedenheit lösten. Danach hielt er etwa fünf Stunden lang (zehn Sekunden waren es sicher) seinen linken Zeigefinger auf die Taste »Mitteilung senden«. Dann musste ihn irgendwer gestoßen haben, sodass der Finger auf die Taste tippte und den Befehl ausführte. Kurt war es nicht. Der lag unter seinem Sessel und schlief.

Katrin las sein »Ich will es auch« erst am späten Nachmittag. Bis dahin hasste sie sich zunehmend für ihr Talent, Situationen heraufzubeschwören, in denen sie nichts anderes tun konnte, als zu warten. In der Früh würgte sie den Computer bis zur virtuellen Bewusstlosigkeit, aber er gab keine Antwort-Mail her. In der Ordination verfluchte sie die Telefongesellschaft, die ihr Aurelius statt Max in die Leitung gelegt hatte. Strafweise warf sie ihn mit einer nur unwesentlich freundlicheren Umschreibung von »Falsch verbunden« sofort aus dem Netz. Die drei letzten Patienten des Tages wurden blindlings heimgeschickt. Katrin musste vorzeitig nach Hause, um nachzusehen, ob elektronische Post von Max eingelangt war. – Und sie war es. Das beendete Katrins fahrlässig herbeigeführte Qual.

Max' »Ich will es auch« wirkte etwa eine Stunde. Es war eine klare, schöne und spannende Nachricht, die Katrin dazu drängte, ein aufwühlend heißes Beruhigungsbad zu nehmen. Danach kühlte der Abend rasch ab. Und plötzlich kam ihr die Antwort unbefriedigend und mangelhaft vor. Sie klang wie: »Einverstanden.« Wie: »Okay« Wie: »Warum auch nicht.« Wie: »Kann nicht schaden.« Der Antwort fehlte Feuer. Und ihr fehlte ein zweiter Teil. Ihr fehlte das Entscheidende, die Entscheidung, der Schritt weiter.

Da Katrin weder außer Haus gehen noch den Abend mit

einem unverbindlichen »Ich will es auch« alleine verbringen wollte, besuchte sie telefonisch ihre beiden treuesten Freundinnen. Beate erwischte sie in einer Hochphase mit Joe. Sie hatte ihm gerade den letzten Seitensprung verziehen, und er hatte sich dafür mit einem eigens für sie einstudierten Love-Song (den ihm sein Freund Bruce Springsteen geliehen hatte) bedankt. »War er bei dir?«, fragte Katrin. »Nein, er hat mir ein Demoband geschickt, mit Eilboten sogar. Weißt du, er sagt, wenn er mich sieht, dann ist er so verwirrt, dass er gar nicht singen kann.« Außerdem hatte er ihr ein langes Wochenende zu zweit versprochen. »Wann?«, fragte Katrin scharf. »Weißt du, momentan ist er noch sehr viel auf Tournee, aber wenn Weihnachten einmal vorbei ist ...« Katrin erzählte nichts von Max. Womöglich hätte Beate versucht, ihre Liebesgefühle zu vergleichen und die Männer aneinander zu messen.

Franziska war gerade dabei, Pipa und Leni zu füttern. Aus dem Telefon roch es nach Banane. Zwischendurchgeräusche verrieten, dass nicht alle Löffel Brei ihren Weg in die Münder der Kinder fanden (oder darinnen blieben). Einmal soff der Hörer offensichtlich in der Bananenbreischüssel ab. Danach klang das Gespräch, als würde E. T. nach Hause telefonieren.

Franziska hatte von Eric die Scheidung verlangt, erzählte sie. Erst hatte er bitter geweint und ihr geschworen, um sie zu kämpfen. Als sie sagte, dass er sich das sparen könnte, dass sie ihn einfach nicht mehr liebte, gab er zu, seit einem Jahr ein Verhältnis mit einer verheirateten Kollegin zu haben. Danach war ihr leichter, erzählte Franziska. Sie hatte schon gedacht, sie und die Kinder wären am Scheitern der Ehe schuld gewesen.

»Und was macht dein Neuer?«, fragte Franziska. »Wie küsst er?« – »Gar nicht«, erwiderte Katrin, »aber er will mit mir schlafen.« – »Auch nicht schlecht«, meinte Franziska gequält. Sie musste gerade einen wuchtigen Stoß eines Kinderkopfes in die Magengrube verdauen. Katrin erzählte ihr von dem verpatzten Abend mit Max und vom vergessenen Hund und las ihr dann »Kurt erzählt eine Bettgeschichte« vor. – »Warum schreibt mir nicht einmal einer so etwas?«, fragte Franziska. »Der Typ ist Hals über Kopf in dich verliebt!« – »Aber er unternimmt nichts«, jammerte Katrin und wurde darin mit einem solidarischen Aufheulen der Zwillinge im Hintergrund bestätigt. »Dann tu's du!«, sagte Franziska. »Der Mann schreit doch danach, verführt zu werden!«

Max steckte gerade mit seinem Kopf in der gefüllten Badewanne, um die Dichtheit seiner Taucherbrille zu prüfen – da musste sogar Kurt aus dem Schlaf erwachen und nachschauen, was los war; Aktionen solcher Art gab es selten in diesem Haus –, als Paula anrief. Sie ließ es lange genug läuten, dass Max auftauchen konnte. Sie hatte wichtige Nachrichten. »Darf ich?«, fragte sie. Ihre Stimme klang gehetzt wie die einer Kriminalheldin, die einen lang gesuchten Serienmörder ausfindig gemacht hatte und nun mit ihrem Chef verbunden war, um ihm die Fakten zu präsentieren.

»Lisbeth Willinger, ehemalige Unger. 29 Jahre alt. Vier Jahre Volksschule, vier Jahre Polytechnischer Lehrgang, drei Jahre Berufsschule. Friseur-Lehre mit Gesellenprüfung. Angestellte bei ›Frisiersalon Friedl‹. Seit acht Jahren verheiratet. Zwei Kinder, Uschi, sieben, Manuel, fünf. Dazu ein Streifenhörnchen: Woodo. Ehemann: Hubert Willinger, Dachdeckermeister. Alle wohnhaft in der Stifterstraße Nr. 14, Tür B. Lisbeths Größe: 1,74 Meter. Gewicht ...« Hier gönnte sich Paula eine dramaturgische Pause. »Gewicht: 72

Kilogramm.« – »Gar nicht so dick«, murmelte Max. »Und schaut auch gar nicht so übel aus«, erwiderte Paula. »Wieso weißt du das?«, fragte Max. »Ich halte ein Foto von ihr in der Hand«, sagte Paula.

Wie dieses? Endlich konnte sie von ihrer Recherche erzählen. Also: In der Volksschule nach dem früheren Direktor gefragt. Den Direktor nach alten Lehrern gefragt. Die Lehrer nach einem auffallend fettleibigen Mädchen des Jahrgangs gefragt. Ergebnis: Lisbeth »Sissi« Unger. Eine Dickere gab es nie wieder.

Fortsetzung: Auf einer Polizeiwachstube »den Charme spielen lassen« und Einsicht in die Meldelisten bekommen. Von Lisbeth Unger auf Lisbeth Willinger und die neue Anschrift gestoßen. Telefonnummer ausfindig gemacht. »Und einfach angerufen«, sagte sie. »Und was gesagt?«, fragte Max.

Nun, Paula war von der Lotteriegesellschaft und hatte eine erfreuliche Nachricht. Lisbeth Willinger bedauerte: Sie spielte nicht Lotto, auch nicht ihr Mann, und ihre Kinder waren noch zu klein. »Das wissen wir«, meinte Paula. »Darum würden wir Sie gerne mit einem schönen Werbegeschenk auf den Geschmack bringen.« Leider durfte Paula nicht verraten, was es war. Das Geschenk würde Frau Willinger mit Erlaubnis in den nächsten Tagen zugestellt werden. »Nur eine kleine Bitte«, sagte Paula: Intern wolle man eine Kartei der Beschenkten anlegen. »Und da brauchten wir ein Foto von Ihnen.« – »Darf es auch von meinem Mann sein?«, fragte Lisbeth. Nein, das ginge nicht. Männer hätte man schon zu viele in der Kartei. »Na schön. Aber Sie versprechen mir, dass das Foto nirgendwo veröffentlicht wird«, forderte Lisbeth. Versprochen. Tags darauf: Foto erhalten.

»Paula, du bist …« – »Ich weiß«, sagte sie. »Und du lass

dir ein gutes Werbegeschenk für Lisbeth einfallen.« – Max schwieg. »Und morgen Abend kommst du zu mir, und wir studieren das Foto.« – Max schluckte. »Samuel fährt morgen nämlich wieder auf Dienstreise.« – Max schwieg. »Wir beide sind also allein.« – Max schluckte.

20. Dezember

In der Früh lag Max nicht neben Katrin. Das war eine große Enttäuschung. (Auch Kurt lag nicht neben ihr, das war eine kleine bis keine Enttäuschung.) Sie hätte schwören können, dass Max neben ihr lag. Sie hatte es … nein, das war mehr als ein Traum. Das war eines der nächtlichen Erlebnisse, an denen man festhielt, weil sie logisch, vernünftig, in sich geschlossen waren. Aber zum dauerhaften Festhalten fehlte neben ihr jetzt Max.

Der Wecker hatte getan, was er tun musste. Er erlaubte ja keine Übergänge, er duldete keine Fristen. Es war 7 Uhr. Katrin konnte noch nicht denken. Sie konnte daher noch nicht wissen, warum Max nicht neben ihr lag. Sie musste ihn persönlich fragen, warum er es nicht tat. Vielleicht hatte er eine einleuchtende Erklärung. Sie konnte sich noch nicht die Zähne putzen. Sie konnte sich noch nicht den Schlaf aus den Augen reiben. Sie nahm das Telefon und wählte seine Nummer. (Die kannte sie selbst im noch nicht aus den Augen geriebenen Schlaf.) Als er abhob, wachte sie auf und ließ vor Schreck den Hörer fallen. Es war Donnerstag vor Weihnachten, ihr letzter Arbeitstag. Ihr ging es nicht besonders gut. Ihr fehlte die Balance. Sie fühlte zu viel und spürte zu wenig.

Kurt lag unter seinem Sessel und schlief, als das Telefon läutete. Max ging normalerweise nicht hin, wenn der Tag noch nicht angebrochen war. Aber die Anruferin konnte Katrin sein. Und obwohl sich niemand meldete, obwohl das Gespräch beendet war, bevor es anfing, war es Katrin. Die Technik der Kommunikation war ja so weit fortgeschritten, dass man in Zahlen ablesen konnte, wer gerade nicht (oder nur beinahe) mit einem sprechen wollte.

Max rief sofort zurück und sagte: »Guten Morgen.« Schlagfertig wie sie war, erwiderte sie: »Guten Morgen.« Danach entstand eine Pause. Die Standpunkte waren abgeklärt.

Telefonieren lernt man von klein auf oder nie. Max hatte diesbezüglich eine raue Kindheit hinter sich. Die Großeltern lebten in Helsinki. Das hieß: Telefonieren mit oder aus Finnland war an sich zu teuer, aber es war die einzige Verbindung zwischen Eltern und Großeltern, die innerhalb eines Tages hergestellt werden konnte.

Max musste drei Millimeter neben dem Hörer stehen, um ihn auch einmal zum Ohr zu kriegen, wenn Helsinki in der Leitung lag. Und er durfte nicht länger als drei Zehntelsekunden brauchen, um »Hallo Oma, hallo Opa« zu sagen. Um Zeit (und Geld) zu sparen, sagte er »Hallomahallopa!« Bei jedem dritten dieser Gespräche kam noch ein Rauschen, das »Hallo Maxiburli« heißen sollte, zurück. Dann war die Verbindung unterbrochen. Oder der Hörer war ihm entrissen worden.

Andere Telefonkontakte als mit Oma und Opa in Helsinki gab es nicht. Die Rechnung war nach Ansicht der Vaters zu hoch für die Perversion, mit jemandem fernmündlich zu korrespondieren, der in der gleichen Stadt lebte; den konnte man ja auch besuchen. Strengstens untersagt war Max die ganz besondere Perversion, am Nachmittag mit Schulfreunden zu telefonieren, die er noch wenige Stunden zuvor persönlich hatte antreffen und ansprechen können. Da Max praktisch nie telefonieren durfte, wurde er auch fast nie angerufen. Und wenn ihn einmal ein Gespräch erwischte, dann verfiel er in die »Hallomahallopa«-Hektik und konnte weder Gedanken fassen noch Worte finden.

Mit den Jahren lernte er, die Verbindung länger als ein paar Sekunden aufrechtzuerhalten. Mit geübten Partnern konnte er mitunter sogar hübsch ein paar Worte wechseln. Zum Plaudern reichte es nie. Und wenn einmal eine Sprechpause eingekehrt war, hörte er die Zähluhr ticken und brachte kein vernünftiges Wort mehr heraus.

So gesehen war sein: »Hast du mich gerade angerufen?«, mit dem er die Schweigeminute beendete, gar nicht schlecht. Leider antwortete Katrin schlaftrunken: »Nein, wieso?« – »Weil deine Nummer erschienen ist«, erwiderte er recht spontan. »Ah so«, sagte sie. »Verzeihung, da muss ich mich dann verwählt haben.« Er überhörte ihren notlügnerischen Akzent. Er war stolz, dass sie sich gerade ihn zum Verwählen ausgesucht hatte. Er fragte – und das war wirklich mutig und darüber freute er sich sehr: »Was ich dich eigentlich fragen wollte: Willst du nicht vor der Arbeit noch zu mir auf einen Kaffee kommen?« – »Ja, gerne.« Ihre Antwort langte gleichzeitig mit dem Ende seiner Frage ein. »Um acht?« – »Um acht!« – »Bis dann.« – »Bis gleich.« – »Ich freu mich.« – »Ich mich auch.« – »Ich mich sehr.« – »Ich mich auch sehr.« – »Also bis dann.« – »Bis gleich.«

Das war ein verdammt gutes Telefongespräch, dachte Max danach und behielt den Hörer als Andenken noch eine Weile in der Hand.

Im Esterhazypark wurde ihr bewusst, dass sie ihm geschrieben hatte, dass sie mit ihm schlafen wolle. (Und dass es stimmte.) Und dass er geantwortet hatte: »Ich will es auch.« Und dass sie jetzt auf dem Weg zu ihm war. Und dass er hoffentlich nicht glaubte, dass sie erwarte, dass ihrer beider Wunsch jetzt eingelöst werden sollte. Und dass er hoffentlich nichts dergleichen unternahm. Sie hatte eine halbe Stunde Zeit. Sie wollte ihn nur sehen. Nur »Guten Tag« sagen. Nur einen Kaffee trinken und ihre Verwirrtheit auf ein erträgliches Maß reduzieren. Immerhin musste sie noch ein Dutzend Patienten empfangen, bevor sie dreißig Jahre alt werden durfte.

Im Stiegenhaus legte sie sich einen groben Verhaltenskatalog für die Türszene zurecht: Wenn er ihr im Pyjama öffnete, würde sie schreien. Wenn er ihr im Morgenmantel öffnete, würde sie davonlaufen. Wenn er ihr nackt öffnete, würde sie schreien und davonlaufen.

Er war angezogen. Sie fiel ihm um den Hals. Er drückte sie an sich. Sie spürte seine heiße Wange an ihrer kalten. So standen sie etwa eine halbe Stunde. Dann musste sie gehen. Nein: So standen sie ein paar Sekunden, die ihr wie eine halbe Stunde vorkamen. Danach gab es keinen Kaffee. Keiner machte einen. Es gab auch sonst nichts. Keiner dachte daran. Nichts lenkte sie voneinander ab. Das war schön.

Sie saßen auf der Couch. Sie saßen eng nebeneinander. Er hielt ihre Hand. Sie erzählten einander belanglose Geschichten, wahrscheinlich aus der Kindheit. Es war egal, was sie sich erzählten. Keiner bemerkte es, und keiner merkte sich ein Wort davon. Es galt, sich an die Stimme des anderen zu gewöhnen und Vertraulichkeitspunkte zu sammeln.

Es waren Geschichten, bei denen man einander in die Augen schauen konnte, bei denen man einander zunickte, bei denen man ständig lächelte, obwohl es keine lustigen Geschichten waren. Wenn man verliebt war, erzählte man sich keine lustigen Geschichten, sondern Geschichten, bei denen man sich und dem anderen die Möglichkeit gab,

Verliebtheit zu leben, ohne dabei schweigen zu müssen. Es waren Geschichten, bei denen man in die Hände hineinhorchen konnte, die man einander hielt.

Dazwischen hätte man einander eigentlich küssen müssen, dachte sie. Es waren Geschichten, bei denen dies nicht nur gegangen wäre. Es waren Geschichten, die dafür bestimmt waren. Geschichten, die man an jeder Stelle bequem hätte unterbrechen können. Geschichten, die man nachher gar nicht mehr hätte fortsetzen müssen. »Worüber haben wir vorhin geredet?«, hätte einer dann gefragt. Keiner hätte es mehr gewusst. Dann hätte man einander wieder geküsst. Und dann hätte man nicht mehr damit aufgehört. So endeten solche Geschichten. Es waren in Worte gefasste Küsse.

»Ich muss gehen«, sagte Katrin stattdessen und verlor seine Hand. Sie hätte ihn jetzt doch noch küssen können, aber es war ihr zu riskant. Er hätte zumindest »Wann sehen wir uns wieder?« fragen müssen. Er hatte dazu bereits den Kopf leicht schräg gestellt und das Gesicht nach vorgezogener Sehnsucht aussehen lassen. Aber er fragte nicht. Sie umarmten sich. Das war schön. Ihr war nach »Hast du heute Abend Zeit?« zumute. Aber da schlich gerade Kurt vorbei. Er war müde. Er war nicht der Hund, der vor ein paar Tagen neben ihr erwacht war.

»Darf ich ihn mitnehmen?«, fragte Katrin, um eine interessante Frage zu stellen und aus tiefem Mitleid mit sich selbst, ohne Kuss und ohne Max und ohne Kaffee gleich einem Rudel sehwütiger Augenarztpatienten vor die verkrümmten Linsen gesetzt zu werden. Sie brauchte plötzlich einen Beschützer und ein Bindeglied. – Max war überrascht, aber großzügig. Natürlich durfte sie Kurt haben. Kurt durfte sie immer haben. »Mein Hund ist dein Hund«, sagte er und gab ihr statt eines Kusses auf den Mund die

Leine in die Hand, an deren anderem Ende Kurt gegen das Wachsein und für den gesunden Morgenschlaf kämpfte.

»Und wann willst du ihn wieder zurückhaben?«, fragte Katrin. Ihre unausgesprochene Frage dahinter hieß: »Wann sehen wir uns wieder?« Seine Antwort hätte lauten müssen: »Wenn es dir recht ist, dann komm doch heute Abend mit ihm zu mir.« Seine Antwort lautete: »Wenn es dir recht ist, dann hol ich ihn morgen zu Mittag bei dir ab.« Nein, das war ihr nicht recht. »Ja, das passt«, sagte sie.

Im Stiegenhaus wusste Kurt, dass er sich nicht den kleinsten Quietscher seiner Leberkäsesemmel und nicht den leisesten Schritt gegen die Marschrichtung von Katrin leisten konnte. Sie war nicht gut aufgelegt und er wäre der Erste und Einzige gewesen, der dies zu spüren bekommen hätte.

Zu Mittag, am frühen und am späten Nachmittag rief Max bei Katrin an, um zu fragen, wie es Kurt ging – und um zu erfahren, wie es ihr ging. Kurt schlief jeweils im Zentrum des Wartesaals. Manchmal stolperte ein besonders schlechtsichtiger Patient über ihn, aber Kurt schlief angeblich zu tief, um ihm deswegen ins Bein zu beißen. Katrin gab knappe, freundliche, verbindliche Stellungnahmen ab. So ähnlich redete sie vermutlich mit ihren Augenarztkunden. Wäre sie zu ihm weniger knapp, dafür unfreundlicher und unverbindlicher gewesen, hätte er sich besser gefühlt.

Am Abend begann es wieder zu schneien. Max war auf dem Weg zu Paula, um das alte Lied von der Aufarbeitung der Vergangenheit neu anzustimmen. Er fand lächerlich, was er gerade tat. Was suchte er bei Paula? Was hatte er dort verloren? Warum ging er nicht zu Katrin, die er liebte? Warum sagte er ihr nicht, dass keine Minute mehr ohne Gedanken an sie verginge und dass er für sie alles tun würde, zum Beispiel würde er für sie Rom in einem Tag abreißen und wieder aufbauen – unter der Bedingung, dass ihm schlecht werden durfte, wenn er sie küsste?

Als er bei Paula an der Tür läutete, schwor er sich, dass das »Unternehmen fette Sissi« sein letzter Versuch sein sollte, den natürlichen Abläufen mit selbsttherapeutischen Kunstgriffen eine Wendung zu geben.

In Paulas Wohnung waren alle Räucherstäbchen der arabischen Welt versammelt, um gemeinsam einen biologisch abbaubaren Mega-Joint abzurauchen. Ein Dutzend Duftkerzen, falsch: Heilkerzen färbten den Geruch medizinisch-psychedelisch und beleuchteten die Rauchschwaden. Aus dem überhitzten Dunst trat, ziemlich schulter-, bauch- und beinfrei, Paula hervor. Sie gab eine scharf kontrastierend geschminkte Frau indianischen Blutes, die man sofort haben wollte und wohl auch durfte, beides war man ihrem perfekt inszenierten LSD-Rausch-Auftritt schuldig. Weil überreizte Klischees bei Paula ungern unvollständig vorkamen, spielten Pink Floyd dazu »Dark Side of the Moon«.

»Was soll das?«, fragte Max. »Holst du deine Pubertät nach?« – »Nein, deine«, erwiderte Paula. Sie hatte diesmal besonders kräftige Lippen, oder waren sie ihm nur schon so nahe zu Leibe gerückt? Die Eingangstür war zu, der Schlüssel steckte zum Glück, bemerkte Max. Schlimm genug, dass er an solche Dinge denken musste.

Paula nahm ihn wie einen Patienten am Arm und führte ihn in den beräucherten und von brennenden Armleuchtern bewachten Arbeits- und Meditationsraum. Dort drückte sie ihn sanft auf den mit Polstern und Decken ausgelegten Parkettboden und hockte sich dazu. »Was hast du mit mir vor, willst du mich verführen?«, fragte er bemüht unerschrocken. »Nein, nur küssen«, sagte sie. »Aber nicht im Ernst«, erwiderte er vergeblich bemüht unerschrocken. »Einmal musst du es ja lernen«, meinte sie und begann, ihre Lippen mit Dehnungsübungen in Fahrt zu bringen.

Max wollte aufstehen und gehen, als ein weißes Lichtquadrat mit abgerundeten Ecken auf die Wand fiel. Paula hatte den Diaprojektor angeworfen, klickte einmal, und da war sie nun vor ihm – lebensgroß, mächtig, schicksalsträchtig: eine klassische junge Frau von nebenan, die man täglich hundert Mal sah und sehen konnte, ohne sie beim hundertersten Mal wiederzuerkennen. Sympathisch, aber nicht zu sehr. Mit ehrlichem »Ich-habe-meine-Tage-aber-es-stört-mich-nicht«-Blick. Dazu ein frisches »Ich-mache-die-beste-Aprikosenmarmelade-der-Welt«-Lächeln. Darüber eine kräftige »Wem-sie-nicht-passt-der-hat-Pech-gehabt«-Nase, Marke: Großschanze. Darüber eine schmale »Denken-heißt-Gehirn-verrenken«-Stirn. Darauf eine raffiniert blond gesträhnte, steifgegelte »Mode-ist-wenn-man-vergisst«-Kurzhaarfrisur. Eine Hand zur Faust geballt und in die Hüfte gebohrt. Ein Bein unter dem Kostümsaum vorgestreckt, um der maßlos unterschätzten Erotik der heimischen Natur-Wade zum Durchbruch zu verhelfen. – Ein Frauenbild wie ein Geständnis. Sie war es. Sie hatte einst den kleinen Max in die Ohnmacht geküsst: Lisbeth »Sissi, die Fette« Willinger.

»Und? Erinnerst du dich?«, fragte Paula. »Flüchtig«, sagte Max, um irgendetwas Kurzes mit »Flucht« zu sagen, und hielt sich beide Hände vor die Brust, um die ersten Donner- und Grollgeräusche einer herannahenden Gewitterfront zu erfassen. »Sieht doch recht süß aus«, meinte Paula und klickte weiter. Der Projektor schob Sissis Ganzkörperaufnahme zur Seite und hob den ausschnittsweise vergrößerten Kopf hinein. Mit einem Leuchtstab zeichnete Paula

Sissis Mund nach und meinte: »Tadellos symmetrisch, nicht aufgeblasen, keine Ecken, darunter saubere schöne weiße Zähne. Sag bloß, dir graust noch immer davor?« Max holte tief Luft und sparte sich eine Antwort. Wenn sich beide nicht bewegten (weder er noch der Mund auf der Wand), konnte er es noch einige Zeit hier aushalten.

»So«, sagte Paula. Das klang gefährlich. »Wir machen jetzt genau fünf Übungen.« – Nein Paula, wir machen jetzt genau nicht einmal eine Übung!, dachte Max. Über das Denken ging sein Widerstand aber nicht mehr hinaus. »Wenn dir übel wird, dann klopfe dreimal mit der Faust auf den Boden, dann höre ich sofort auf«, versprach Paula. – Max klopfte dreimal mit der Faust so heftig auf den Boden, dass die Wände arabischen Rauch husteten. Aber Paula blieb gnadenlos bei der Sache.

Übung eins: Der Kuss mit geschlossenen Augen. Max spürte, wie Paulas Lippen sich wie eine drückende tropische Regenfront über seine legten – und klopfte dreimal. Sie warf ihm einen hässlich funkelnden Indianerblick zu und machte weiter. Er spürte ihre Zunge in seinem Mund. Sie war spitz, rau und erfreulich sparsam im Umgang mit Speichel. Er wollte an Katrin denken, aber er war zu verschämt. Stattdessen fiel ihm die stöhnende Natalie im feuchtfröhlichen Liebesrausch ein. Und hinter ihr lauerte schon die fette Sissi. Sie sprang vor, hielt seine Wangen zwischen je zwei ihrer Wurstfinger fest, sagte »Na, du Schlimmer« und hauchte ihm ihr »Best of Mundgeruch, Junior-Edition« ins Gesicht. Max klopfte dreimal. »Fünf Sekunden«, stoppte Paula, die Schinderin. »Eindeutig zu kurz.«

Übung zwei: Der Kuss mit geöffneten Augen. Der ließ sich gut an. Paulas Pupillen waren groß und leuchteten wie Tautropfen im gelbgrünen Moos. Ihr Gesicht spannte sich anmutig verklärt, wie das einer südamerikanischen

Vollblutturnlehrerin, die sich ihrem untrainierten europäischen Lieblingsschüler hingab. Max fühlte im unteren Körperbereich Kräfte aufkommen. Da fiel ihm Samuel, ihr Freund, ein. Was, wenn er sie so sehen würde? Was, wenn er jetzt hereinkäme? Bei dieser Vorstellung hob sich ihm der Magen, darunter kam das Schweinsgesicht der fetten Sissi zum Vorschein. Sie strich sich mit der Zunge über die Oberlippe und wünschte ihm guten Appetit. Max klopfte dreimal. »Elf Sekunden«, sagte Paula. »Besser mit offenen Augen als mit geschlossenen küssen, mein Guter.« – »Besser, DICH so zu küssen«, erwiderte Max. Sie hatte sich ein Kompliment verdient, dachte er und atmete kräftig durch.

»Jetzt kommt die schönste Übung«, versprach Paula. »Du darfst deine Hände benützen.« Max lächelte in gespielter Vorfreude. »Aber nur bis hierher«, ergänzte sie und hielt ihre Hand wie eine Bauchtänzerin vor den Nabel. Diesmal schaffte er beeindruckende zwanzig Sekunden. So lange brauchte er, um zu wissen, wo er seine Hände hintun sollte, ohne Paulas Schönheit zu beleidigen, ohne die Freundschaft zu sprengen, ohne die Prüfungssituation für libidinöse Zwecke zu missbrauchen, ohne das Gefühl zu haben, Samuel mit ihr zu betrügen. An Katrin war gar nicht zu denken. Sie wartete in einem anderen Sonnensystem – und wahrscheinlich nicht einmal mehr auf ihn.

Natürlich hätte er Paula gerne auf den Busen gegriffen und wäre dort länger verweilt. Wer hätte das nicht? Er war wahrscheinlich der einzige volljährige Mann der westlichen Welt, der ihren Busen berühren durfte und es nicht tat. Es war allerdings gar nicht leicht, auf ihrem Oberkörper eine Stelle zu finden, die von der Dominanz und Ausbreitung des Busens ausgespart war. Er wusste, er ließ hier eine Jahrhunderteinladung platzen. Aber er war ja nicht zum Vergnügen da.

Bei solchen Überlegungen flossen die Sekunden bei hoher Pulsfrequenz dahin, und er vergaß, ganz auf die beiden kampfsportartig ineinander verkeilten Zungen zu achten. Endlich fand er auch Halt für seine Hände. Auf Brusthöhe in der Nähe ihrer Schulterblätter gab es warme, muskulös gewölbte Flächen, die er ohne schlechtes Gewissen massieren konnte. – Da nun sinnliche Ruhe eingekehrt war, blendete sich die fette Sissi in das Geschehen ein und warf ihm einen lebertranigen Kussmund zu. Max klopfte dreimal. Paula war enttäuscht. Sie hätte ihm einen vollen Erfolg mit sich gewünscht.

Nun blieb ihm Übung vier nicht erspart: Der Kuss mit gleichzeitigem Blick auf das projizierte Ganzkörperbild von Lisbeth Willinger. Sieben Sekunden benötigte er, um von der adretten Lisbeth zu ihrem fetten Ursprung zurückzugelangen. Dann klopfte er dreimal und brauchte bei geöffneten Fenstern eine längere Pause.

Übung fünf: Der Kuss mit gleichzeitigem Blick auf den projizierten Bildausschnitt des Gesichts von Lisbeth Willinger. Er sah also beim Küssen über Paulas quergestellten Kopf hinweg direkt auf Sissis Mund an der Wand. – Vierzig Sekunden, dann wollte Paula nicht mehr. »Was ist los mit dir, geheilt?«, fragte sie nachher.

Es war seltsam: Sissis Mund, bei dem nur die Zähne zum Vorschein kamen, beruhigte ihn. Der Blick darauf nahm dem Trauma den verfaulten Geschmack. Max fühlte sich wie ein (küssender) Marathonläufer. Er sah sich mit den Augen Dutzende Kreise um Sissis Lippen ziehen. Er lief dabei nie Gefahr, abzurutschen und hineinzugleiten. Die ersten Runden kosteten noch die übliche Überwindung und Anstrengung. Doch von Sekunde zu Sekunde fühlte er sich leichter auf seiner Bahn. Schließlich trat er mit seinen Augen in eine Art aerobe Mund-Umrundungs-Phase ein. Er verspürte dabei ein angenehmes Schwindelgefühl, das ihn wie ferngesteuert weitermachen ließ.

Gleichzeitig hatte er sich an Paulas Zunge in seinem Mund gewöhnt. Sie drang ja doch nie weiter vor als bis zu seinem hinteren Gaumen. Das Glitschige verlor seine üble Schärfe. Die Gedanken trugen ihn bis zur Mutprobe der »Dreckigen Totenkopfpiraten« zurück. Er hörte, wie ihn die Kinder anfeuerten: »Bravo-Max-der-Küsser-König-der-Max-der-kann's-der-Max-der-hat's.« Er rechnete mit heftigen Schüben von Übelkeit und seine größte Angst war es, dass Paula die drei Klopfgeräusche im Kussrausch überhören könnte. Aber es passierte nichts, der Magen blieb ruhig. Die Augen zogen unermüdlich ihre Runden um Sissis Lippen auf der Projektionswand. Max fühlte sich stark genug, damit über jede volle Distanz zu gehen. Er hätte noch Stunden weiterküssen können.

»Gratuliere«, sagte Paula und rüttelte an seiner Schulter. »Danke«, flüsterte Max erschöpft. »Dann haben wir's also«, meinte sie und richtete sich auf. »Was?« – »Die Lösung deines Problems. Du brauchst ein Foto von ihren Lippen. Das trägst du von nun an immer bei dir. Und das verwendest du bei jedem Kuss!« – Jetzt war sie die strenge Apothekerin. »Vielleicht war es nur Zufall, nur ein einmaliger Erfolg«, gab Max zu bedenken. – »Das musst du ausprobieren, mein Guter«, sagte sie, ging zum Schreibtisch (Meditationstisch) und kam mit einem Stoß Fotos zurück: Lisbeth Willinger in allen Größen und von allen Seiten, darunter drei herrlich ausgearbeitete Lippenbilder.

»Paula, ich ...« – »Ich weiß, dass das großartig von mir war«, sagte sie. »Wie kann ich mich revanchieren? Was kann ich dir dafür geben?«, fragte Max. – »Einen Kuss«, erwiderte Paula. »Muss aber nicht heute sein.«

21. Dezember

Kurt hatte zwei Seelen in seiner drahtbehaarten Brust, eine bekannte und eine ungeahnte. Die eine schlief. Die andere wachte neben Katrin auf. Was war passiert? Lange Zeit gar nichts. In der Ordination am Vortag: Seele eins. Beim Auftritt von Doktor Harrlich (»Was ist das da am Boden?« – »Ach nichts, nur ein Teppich.« – »Der ist zu dick, schönes Fräulein, da stolpern unsere Kunden darüber.« – »Ich werde ihn noch heute austauschen.«): Seele eins.

Beim abendlichen Schneespaziergang im Esterhazypark: Seele eins. (Katrin war knapp davor, die Tierseelsorge anzurufen und ihr mitzuteilen, dass unter der vierten Gebüschzeile ein fremder Hund mit zugefrorenem Schnauzbart lag, der offenbar Probleme mit sich hatte. Dann zerrte sie ihn aber doch zu sich nach Hause.) Daheim, bei Help TV, Doris Dörrie, Mailänder Mode, »Kurt erzählt eine Bettgeschichte«, Debussy, Internet und Telefon: Seele eins. Wildbeuschel? – Danke, später: Seele eins. Zeit für die Nachtruhe? – Jawohl, sofort: Seele eins.

Als sie einschlief, lag er neben ihr auf einem hundgerecht derangierten und mit Tramper-idyllischem Bahnhofsgrind einbalsamierten roten Uralt-Schlafsack und ließ seine Seele eins baumeln. Als sie aufwachte, stand er auf der anderen Seite neben ihr, rieb sich die Nase an ihrem Kinn, hechelte wie drei Schlittenhunde im Kanon nach der Arbeit und erzählte ihr die Geschichte vom Hund, um den sich in der Früh keiner gekümmert hatte und der deshalb begonnen hatte, aus den Holzmöbeln Zahnstocher herzustellen. Dazu quietschte er abwechselnd mit seiner Leberkäsesemmel und bellte wie einer, der innerhalb von ein paar Minuten eine lautlose Woche ungeschehen machen wollte. – Das war seine verschüttet geglaubte Seele zwei.

Kurt ließ Seele zwei nicht zum idealsten aller Zeitpunkte sprechen. Denn die Schulmeister-Hofmeisters standen im Sinne des vorgezogenen Christkindes so gut wie vor der Türe. Es sollte ein gemeinsames familiäres Frühstück werden, in dem sich Katrin von der jahrzehntelangen Besorgniserregung ihrer Eltern verabschieden wollte. Sie hatte vor, ihnen anlässlich ihres bevorstehenden 30. Geburtstages mitzuteilen, dass es ihr gut ging, dass sie glücklich war, dass sie auf eine gelungene Kindheit und eine unverkrampfte Jugendzeit zurückblickte. Dass sie es in einer süßen Junggesellinnenwohnung zu einem schönen warmen Bett für sich alleine gebracht hatte. Dass sich ihre lesbische Veranlagung darin erschöpfte, lieber in den Armen von Kate Winslet als in jenen Leonardo di Caprios auf der Titanic untergehen zu wollen. Dass es sich mit Männern so verhalte: Sie mochte sie, aber nicht auf Dauer und nicht daheim. Sollte doch einmal einer hängen bleiben – gut. Sollte keiner hängen bleiben – mindestens genauso gut.

Und, ja, auch das wollte sie ihnen gerne verraten: Es gab da schon jemanden, einen gewissen Max, den fand sie sehr interessant, okay (Mutter wusste ja bereits mehr davon), in ihn war sie sogar ein wenig verliebt. Möglicherweise würde sich schon in den nächsten Monaten, spätestens aber wohl im Sommer herausstellen, ob er vielleicht einer wäre, bei dem sie sich eventuell vorstellen könnte, dass sich der Fall einstellen könnte, dass … Und dann würden sie ihn selbstverständlich auch bald kennen lernen, zum Beispiel nächste Weihnachten. Ja, so war es. Und darum: frohe Weihnachten auch für heuer!

Apropos und bei dieser Gelegenheit gleich definitiv: Den Heiligen Abend wollte sie diesmal mit Kurt verbringen. Wer Kurt im Detail war, das wollte sie ihnen noch rasch zeigen. Sie hätte sie dann zum Bett geführt und da wäre er darauf gelegen, ganz Seele eins. Und Katrin hätte den Zeigefinger senkrecht auf die Lippen gehalten und hätte »Pssst« gesagt. Dem Vater wäre mit einem Herzschlag (Kurts) bewusst geworden, dass auch Hunde Geschöpfe Gottes waren und er hätte begonnen, ihnen zu verzeihen und sein Wäschetrockner-Trauma aufzuarbeiten. Und Mutter hätte vermutlich um ein Taschentuch gebeten. Sie wäre vom Gefühl gepackt gewesen, soeben Großmutter geworden zu sein. Das hätte dann so eine Art Weihnachtswunder dargestellt, in dessen Banne die Eltern verklärt nach Hause geschritten wären.

Aber Kurt ließ unbarmherzig Seele zwei baumeln und kläffte gerade grausam seine unter dem Küchenkasten verschanzte Leberkässemmel nieder, als die Eltern mit einem Klingelzeichen ankamen. Sie waren übrigens zu dritt. Sie hatten Aurelius mitgebracht.

Max kam wie vereinbart zu Mittag, um Kurt abzuholen. Er hatte ein Lippenfoto von Lisbeth Willinger bei sich – für alle Fälle. Es steckte in der rechten Gesäßtasche seiner Jeans. Er hätte es während der Umarmung mit der linken Hand herausgezogen und hinter Katrin so positioniert, dass er über ihren Kopf hinweg auf die Lippen hätte sehen und dort mit den Augen Kreise hätte ziehen können. Wäre er während des Küssens beim kreisenden Blick nach oben erwischt worden, hätte dies für Katrin nach »Gott ist das schön, dem Himmel sei Dank« ausgesehen und sie hätte keinen Verdacht geschöpft. War der Kuss dann beendet, hätte er ihr Gesicht in seiner Brust vergraben, um das Foto unbemerkt wieder zu verstauen. Schwieriger war dann schon der Kuss in liegender Stellung. Aber so weit musste Max jetzt wirklich noch nicht denken.

Im Gegenteil: Schon im Stiegenhaus hörte er bestialisches Hundegebell, das er Kurt zuordnen musste. Akustisch knapp darunter lag menschliches Stimmengewirr. Es klang nach Hausbesitzerversammlung im Anschluss an Anrainerbeschwerden wegen eines außer Rand und Band geratenen Deutsch-Drahthaar-Rüden. Max spürte instinktiv, zum falschen Zeitpunkt an der richtigen Tür geläutet zu haben, als sie sich öffnete. Einige Minuten später schloss sie sich wieder hinter ihm. Da hing Kurt, mit einem Schal mumifiziert und dadurch ein wenig schallgedämpft, bereits an seiner Leine und suchte mit ihm das Weite und möglichst weit Entfernte.

Es war müßig, die Eindrücke in einen Handlungsablauf zu zwängen. Max genügte es, Momentaufnahmen von teils bekannten, teils unbekannten Gesichtern mitzunehmen. Da war dieser schon gesehene Hugo Boss junior, der offensichtlich zum Haushalt gehörte. Sein Limonen-Blick meldete gerade die Konkursmasse an. Über seinen Armen senkte sich, wie ein schlaffer Leichnam, ein hellgraues Sakko. Dieses sah nach Erdarbeiten im Esterhazypark aus und roch spezifisch nach Kurt.

Daneben stand, in tröstender Position, Mutter Boss, eine zur Kummerfalte erstarrte Dame im zweitbesten Alter, und warf Max einen »Ich-werde-Sie-vor-den-Richter-bringen«-Augenaufschlag entgegen. Abseits des Geschehens war eine tragische Männergestalt mit armselig dünnem grauem Oberlippenbart erkennbar. Bei diesem Mann dürfte es sich um das eigentliche psychische Opfer der Vorfälle gehandelt haben.

Und dann: Katrin. Sie lächelte, wie über einen Witz,

über den man nicht lachen durfte. Sie war schön. Sie war zu schön, um wahr sein lassen zu müssen, dass es mit Kurt Probleme gegeben hatte, unter denen die handelnden oder bereits aus der Handlung geworfenen Personen litten. Sie gab Max keine Schuld. »Er ist plötzlich aufgewacht«, flüsterte sie ihm zu, hob ihre Schultern und machte aus den Händen hängen gelassene Tulpenblätter.

»Und er hat seinen Hals abgeschleckt.« Sie knickte ihren Kopf in Richtung Hugo Boss. »Dabei fiel das Sakko auf den Boden.« Jetzt lächelte sie. »Und damit hat er dann gespielt.« Jetzt musste sie aufpassen, nicht zu laut zu lachen. »Sackhüpfen hat er gespielt.« Jetzt hatte sie zu laut gelacht. Hugo Boss' Blick mutierte von Limone zu Grapefruit.

»Und das sind meine Eltern. Darf ich bekannt machen?«– Sie durfte nicht bekannt machen. Denn da war dann noch Kurt und brüllte sich Seele zwei aus dem Leib. Dazu drehte er Schwindel erregende Kreise um sich selbst und um seine neuen Lieblinge, sprang ihnen auf die Schultern, liebkoste ihre Dauerwellen und Seitenscheitel, stieß sich wieder von ihnen ab, quietschte mit der wiehernden Semmel, schüttelte sich den Schaum vom Mund und … »Es ist besser, wenn wir jetzt gehen«, sagte Max. Er wollte wirklich nicht unhöflich sein. Katrin lächelte und hauchte ihm einen Kuss durch den Türschlitz.

22. Dezember

Sie hatten vor, den Tag miteinander zu verbringen, abwechselnd zu zweit und zu dritt (mit Kurt). Und es war nicht ausgeschlossen, dass sie die Nacht noch dazunahmen. Und den nächsten Tag vielleicht. Und noch eine zweite Nacht. Katrin war egal, wie man es nannte, was sie zu haben begannen: vermutlich eine Affäre. An weniger konnte sie nicht mehr denken. An mehr war nicht zu denken. Max war ja nur noch zwei Tage da. Kurt sollte zwar bei ihr bleiben (und darauf freute sie sich, sie liebte Kurt, er hatte mit Aurelius' Sakko vor den Augen ihrer Eltern Sackhüpfen gespielt). Aber daran ließ sich nichts eindeutig Vorhersehbares anschließen.

Nach Weihnachten war ohnehin immer alles anders. Egal wie es dann war, für sie war es meistens besser, zumindest war es »besser so«. Nun galt es, diese paar Tage zu überstehen, dachte Katrin. Dafür war die »Affäre« ein glanzvoller Auftakt. Danach hatte sie den Hund und eine Erinnerung. So nüchtern konnte sie es betrachten, wenn sie wollte. Sie wollte. Leider konnte sie es nicht so nüchtern fühlen. Aber das wollte sie lernen. Vielleicht über Weihnachten.

Es kam übrigens ganz anders. Am Nachmittag trennten sie sich. Sie liebte ihn zwar, aber er war ihr zu pervers. Das war die Sorte scheinbar normaler, liebevoller, gefühlvoller Männer, die dann irgendwann mit dem Küchenmesser in der Duschkabine warteten, die weinten und sagten, sie mussten es für ihre Mutter tun, und dann stachen sie zu.

Sie hatte ihn erwischt. Er hatte ein Foto »dazu« gebraucht. Darauf waren die Lippen einer Frau abgebildet. Vermutlich war es seine Exfreundin. (Wenn nicht gar seine Mutter.) Das war nicht normal. Oder war das normal? Sie dankte Gott, nein, nicht Gott, sie dankte sich selbst, dass sie so viel Körperbeherrschung gehabt hatte, sich noch nicht vollständig ausgezogen zu haben.

Sie hatten schon auf seiner orangeroten rauledernen Sitzgarnitur gelegen. Sie waren im Küssen umgekippt. Er küsste nicht gut, er küsste wie ein Gymnasiast, der zum ersten Mal eine andere Zunge berührte. Aber das störte sie nicht. Er war gierig und darin war er selbstsicher. Das riss sie mit. Das riss sie nieder. Er wollte sie haben. Und sie war dabei, sich hinzugeben. Sie wollte es so sehr wie schon seit Jahren nicht. Hatte sie es überhaupt schon so sehr gewollt? »Haben« und »hingeben«, wie das schon klang! Aber es kam ja ohnehin nicht dazu.

Er hatte den linken Arm hinter dem Rücken eingeklemmt. Sie drehte seinen Körper zur Seite, um den Arm zu befreien. Er wehrte sich. Er drückte dagegen. Das war nicht normal. Das ergab keinen sexuellen Sinn. Man brauchte doch seine Hände. Oder brauchte man sie nicht?

Es kam ihr vor, als hüte er ein Geheimnis. Als hielt er etwas in der Hand. Als verstecke er etwas vor ihr. Und sie hatte Recht. Irgendwann ließ er es fallen: ein Foto. Sie hob es auf, sah es an: Lippen. Pfui! Nein, sie konnte ihn nicht fragen, was das Bild hier zu suchen hatte, was er damit vorhatte. Sie hatte Angst vor einer Erklärung, vor einem perversen Lippen-Bekenntnis, noch mehr Angst vor einer faulen Ausrede, einem fluchtartigen Ausbruch der Banalität. »Es ist ganz anders, als du denkst«, flüsterte er. Aber sie dachte weder so noch anders. Er hatte ein Foto mit Lippen in der Hand. Da gab es nichts zu denken. Das war krank.

Beim Zuknöpfen ihrer Bluse kam sie sich gedemütigt vor. Gleichzeitig spürte sie, dass sie den Mann, der mit dem gesenkten Blick eines schlimmen Buben auf der Couch saß, nicht aufgeben konnte. Sie erwischte sich dabei, etwas zu suchen, das ihr die notwendige Trennung erträglich machte: einen Teil von ihm, ein Bindeglied, ein Mittelding. Sie suchte nicht lange. Er lag unter seinem Sessel und schlief. Sie fragte keinen von beiden. Sie sagte: »Komm, Kurt!« Und er gehorchte nur deshalb nicht sofort, weil er noch nicht aufgewacht war. Aber danach ging er widerstandslos mit.

»Ich glaube, es ist besser so«, sagte sie zu Max beim Abschied. Es ging daraus nicht hervor, was besser so war. Sie wusste es selbst nicht. Aber sie hatte sehr viele Filme gesehen, die ähnlich schlecht ausgingen. Sie hatte stets die Tapferkeit der Menschen bewundert, die in beschissenen Abschluss-Situationen »Ich glaube, es ist besser so« sagen konnten. Sie war stolz auf sich, die Wohnung mit Würde (und Hund) zu verlassen. Der Stolz zerfiel beim Haustor. Dahinter ging er in gefrierenden Nieselregen über.

Max war nicht traurig. Er dachte nur: »Schade.« Vielleicht sprach er es sogar aus. Es war ein knappes, achselzuckendes »Schade«. Er dachte auch: »Pech.« Das war noch knapper. Es bewies ihm, dass man Schicksalsschläge, welcher Härte auch immer, so locker hinnehmen konnte, wie man wollte. Natürlich hätte er sich jetzt auch den Korkenzieher in den Bauch drehen und ein paar Darmschlingen herausziehen können. Damit wäre er dem Anlass mindestens genauso gerecht geworden wie mit »Schade« oder »Pech«. Denn wenn er vor einigen Stunden gefragt worden wäre, was das Schlimmste sei, das ihm mit Katrin passieren konnte, so hätte er geantwortet: »Ich küsse sie und sie entdeckt dabei das Foto.« – Das war passiert. Schade. Pech.

Das war also das Ende der Geschichte. Er saß auf der Couch und wartete, bis die restlichen beiden Tage bis zu seiner Abreise vergingen, eine Abreise, die ihm keine Freude mehr bereitete. Er hatte keine Lust auf einen Tauchurlaub. Er hatte allerdings auch keine Lust auf keinen Tauchurlaub. Er hatte ausschließlich Lust auf Katrin. Doch die hatte er soeben verloren. Schade. Eine andere Frau interessierte ihn nicht. Pech. Er musste jetzt einsam alt werden, ohne Lust auf Tauchen oder sonst irgendwas. Schade. Pech. Er war zu arm, um sich leidzutun. Er hatte nicht einmal mehr seinen Hund. (Und er würde nie mehr wagen, ihn zurückzuverlangen. Er würde überhaupt nichts mehr wagen, was Katrin betraf.) Wenn er jetzt sagte, dass ihm Kurt fehlte, hätte er es selbst nicht geglaubt. Aber es stimmte.

Kurt war ein Zyniker. Er hatte seine wiehernde Semmel daheimgelassen und das Lippenfoto mitgenommen, vermutlich als Andenken an sein perverses Herrl, dachte Katrin. Das Bild war bis zur Unkenntlichkeit zerknüllt und steckte, gut abgeschirmt von Schnauzbarthaaren, in seiner rechten Lefze. Dort schob er es wie eine kugelige Zahnradbahn den Kiefer vor und zurück. Das sah nach US-Baseball-mäßigem Kaugummikauen aus, welches ihm gut zu Gesichte stand und den debilen Blick der zugekniffenen Augen rechtfertigte. Es war zudem ein Spiel, das sich auch im Halbschlaf durchführen ließ. Kurt hatte nach seinen starken Auftritten am Vortag wieder zur Normalform, zu seiner Seele eins, gefunden. Auch er war psychisch gestört, wusste Katrin. Kein Wunder bei diesem Herrl.

Wie es Katrin ging? Danke, schlecht. So schlecht, dass sie es daheim nicht lange aushielt. Schlecht genug, um die letzten Weihnachtseinkäufe zu erledigen. Kurt schlich mit.

Er hatte das in seinen Besitz übergegangene zerknüllte Lippenfoto dabei. Katrin beschloss, ihm eine dazu passende Baseball-Kappe zu kaufen. Die fünfte, die sie probierten, gefiel ihm. Zumindest warf er sie nicht ab. Sie war schwarz und enthielt den giftgrünen Schriftzug »Hells Bells«. Entweder war Kurt ein geheimer Rocker oder er wollte einfach keine Kappe mehr probieren.

Für Mutter fand sich ein rosa Nachthemd. Sie besaß zwar bereits zwei rosa Nachthemden, aber das eine war zu altrosa, das andere zu neurosa. Und dieses hier traf exakt die rosa Mitte. Außerdem: Nachthemden konnte man gar nicht genug haben, dachte Katrin. Sie freute sich schon, diesen Satz aus dem Munde ihres Vaters zu hören.

Für Vater hatte sie an eine Wanduhr gedacht, an eine Kuckucksuhr für militante Tiergegner. Die Verkäuferin des größten Fachgeschäfts der Stadt stellte ihr drei Modelle tickender Holzkästen auf das Pult, aus denen, mit Horngebläse untermalt, zu jeder vollen Stunde mit Schrotgewehren bewaffnete Jäger ins Freie marschierten und Schüsse abfeuerten (um 3 Uhr drei Schüsse, um 7 Uhr sieben und so weiter). Beim Gustieren merkte Katrin, dass ihr drei Dinge fehlten: erstens der Jagdinstinkt für Uhren, zweitens die Leine in der Hand, drittens der Hund an der Leine.

Die Suche, an der auch das Personal der Wanduhrenabteilung teilnahm, konnte nach einer halben Stunde eingestellt werden. Kurt nieste und verriet dadurch sein Versteck. Er hatte sich durch einen offenen Türspalt in einen dunklen Uhrenlagerraum zurückgezogen. Dort saß er, wie eigens dafür abgerichtet, in stiller Andacht vor einem finsteren Kasten. Seine Augen waren weit aufgerissen und fixierten in huldigender Weise einen auf der Kommode befindlichen Gegenstand. Katrin schaltete das Licht an und sah die Wanduhr. Sie kam ihr bekannt vor, sehr bekannt. Es war eine griechische Kuckucksuhr ohne Kuckuck, stattdessen gefüllt mit antiken Helden. Es war die gleiche Uhr, die bei Max an der Wand hing. Kurt musste sie wiedererkannt haben. So viel Klugheit im Umgang mit Einrichtungsgegenständen hätte sie ihm nicht zugetraut.

Beim Verlassen des Raumes passierte etwas Eigenartiges: Kurt wollte nicht. Er bestand darauf, hocken zu bleiben und auf die Uhr zu starren. Es war anders, als wenn er schlief und deshalb nicht zu bewegen war, seinen Platz zu verlassen. In so einem Fall ließ er sich zumindest wegzerren oder wegschleifen. Aber diesmal: keine Chance. Er saß da wie festbetoniert. Er musste sämtliche seiner körperlichen und mentalen Kräfte zusammengelegt und mit hundert multipliziert haben – er rührte sich keinen Millimeter vom Fleck.

Die Chefin tippte schon auf die fünfte Wanduhr, um aufzuzeigen, dass die Sperrstunde angebrochen war. Zur Bestätigung schnellten sämtliche Kuckucks und Jäger aus ihren Häusern und schrien siebenmal Kuckuck oder schossen siebenmal dämlich mit ihren Gewehren. Auch die griechischen Helden der Wanduhr im Lagerraum traten nun heraus. Kurt saß steif davor, brachte seinen Kopf in leichte Schräglage und ließ ihn in dieser Stellung einrasten. Seine würfelförmigen Augen wirkten noch größer als sonst, die Pupillen hatten sich auf doppelten Umfang erweitert. Kurt war eine Hundesäule, sein eigenes, in perfektionierter Bettel-Stellung erstarrtes Denkmal.

Die Helden der Wanduhr summten nun eine griechische Melodie und schlugen mit ihren Trommeln die volle Stunde ein. Kurt schien auf diese Zeremonie gewartet zu haben. Er gab nun fast unhörbar leise liturgische Winsel-Geräusche von sich. Sein Kopf begann leichte Kreise zu drehen, ehe sich das Haupt andächtig zum Hundehimmel richtete. Hätte er nicht die anarchistische Hells-Bells-Kappe auf dem Kopf gehabt, hätte man ihn für tiefreligiös gehalten.

Die Figuren waren nun mit ihrem Programm am Ende und kehrten in ihr Häuschen zurück. Kurt erwies ihnen die letzte Ehre und verbeugte sich wie ein englischer Butler. Danach wandte er seinen Blick von der Uhr ab, schüttelte sich, lockerte seine Muskeln und machte Dehnungsübungen. Da erst bemerkte er, dass Katrin neben ihm stand und ihn beobachtete. Das war ihm peinlich. Er gähnte aus Verlegenheit und bemühte sich, so zu tun, als wäre nichts gewesen. In der Folge ließ er sich bequem aus dem Uhrengeschäft schleifen und kaute nun auch wieder an dem im Maul entdeckten Lippenfoto der Lisbeth Willinger. Dabei hob sich die Rocker-Kappe im Takt.

Beim Abgang war Katrin damit beschäftigt, Kurt zu begreifen. Die Jagduhr für den Vater hatte sie vergessen.

Im Esterhazypark kam ihr die Sehnsucht nach Max entgegen. Also machte sie kehrt. Doch die Sehnsucht ging mit. Und nur Kurt blieb stehen. Er war gegen Sehnsucht immun (nicht aber gegen öde weihnachtliche Fußmarschfleißaufgaben). Katrin drehte fünf schnelle Runden, um ihre Gedanken schwindelig zu machen und ihre Gefühle mit Fliehkräften abzuschütteln. Sinnlos. Der Esterhazypark war übersät mit Sehnsucht nach Max. Sie kroch aus dem Winterboden, steckte hinter Gebüschen, fiel aus kargen Baumwipfeln. Blieb Katrin stehen, wartete sie geduldig, lief Katrin davon, so holte sie sie rasch ein. Schließlich lasen sie Kurt auf und gingen zu dritt zu ihr nach Hause – Katrin, der Hund und die Sehnsucht nach Max.

Als Kurt tief genug schlief, holte sie ihm das Fotoknäuel aus dem Maul, duschte es, trocknete es ab, faltete es auf und betrachtete es, um daraus schlauer zu werden, als ihr schlecht davon war. Nach einer Stunde wusste sie: Diese Lippen enthielten keine Botschaft. Max war krank, aber sie liebte ihn. Ihr letzter Ehrgeiz dieses Tages sollte sein, das Foto in so kleine Teile zu zerreißen, dass von der Abartigkeit des Benützers nichts mehr übrig blieb. Nach vollzogener Vierteilung bemerkte sie einen blassen Schriftzug auf der Rückseite. Das erste Wort begann mit »L«, war möglicherweise ein Vorname, war aber unleserlich. Das zweite hieß recht eindeutig: »Willinger.«

Als Katrin im Telefonbuch blätterte, ertappte sie sich dabei, der Sache der perversen Lippen auf den Grund zu gehen und freute sich über ihre Unerschrockenheit. Zwei weibliche Willingers der Stadt hatten Vornamen, die mit »L« begannen, eine Leopoldine und eine Lisbeth. Bei Leopoldine meldete sich ein Herr Hugo. Aus dem Telefonat ging hervor, dass Leopoldine gestürzt war, einen hinkenden Fuß hatte, was in ihrem Alter, 74, bedenklich sei, dass die Kinder und Enkelkinder zu Weihnachten zu Besuch kommen würden und dass keiner in der Familie Max hieß. Und wer sie eigentlich war, die Anruferin. Das war eine Frage.

Die zweite Willinger, Lisbeth, war selbst am Apparat. Ihre Stimme wirkte jung und lebendig. Sie war verheiratet, ihr Mann hatte gerade mit den Kindern einen zweiwöchigen Urlaub angetreten. Nein, ihr Mann hieß nicht Max, sondern Hubert. »Sind Sie auch von der Lotteriegesellschaft?«, fragte Frau Willinger. »Nein, äh, Meinungsforschung«, erwiderte Katrin. »Was wollen Sie erforschen?«, fragte die Frau. »Wie unsere Frauen Weihnachten verbringen«, erwiderte Katrin. Sie selbst hätte nach so einer Ansage einer Meinungsforscherin grußlos aufgelegt.

»Wir sind eine Clique von Freundinnen, die alle froh sind, dass ihre Männer und Kinder einmal außer Haus sind, und da haben wir uns gedacht, wir wollen vielleicht …« – »Also im Freundeskreis«, verkürzte Katrin. »Dann danke vielmals.« Das konnte nicht die Frau sein, deren Lippen ein psychisch kranker Max zum gesunden Beischlaf benötigte, dachte sie. Als der Hörer schon wieder so gut wie auf der Gabel lag, folgte: »Und Sie brauchen kein Foto von mir?« – »Wieso sollte ich?«, fragte Katrin und spürte zwei leichte Stromstöße an den Schläfen. – Frau Willinger erzählte, erst vor einigen Tagen unter sonderbaren Umständen ein Foto an die Lotteriegesellschaft geschickt zu haben. Jetzt wartete sie auf ein versprochenes Werbegeschenk. »Wissen Sie davon?«, fragte sie. (Vielleicht sollte man ihr einmal erklären, was Meinungsforscher gemeinhin wussten und was nicht.) »Nein, aber wir können gerne nachfragen«, erwiderte Katrin und ließ sich Name, Adresse und Telefonnummer der Kontaktperson geben, ehe sie das Gespräch beendete.

Es war zwar schon später Abend, aber die mysteriöse Lotteriedame namens Paula Stein war offensichtlich noch im Dienst. Zumindest meldete sie sich. »Bin ich hier bei der Lotteriegesellschaft?«, fragte Katrin. »Nein, bei Paula«, erwiderte die Frau, entschied sich dann aber anders und sagte: »Oh doch, gewissermaßen, Frau Willinger?« Nein, nicht Willinger, sagte Katrin. »Aber weil wir gerade bei Frau Willinger sind, haben Sie zufällig ein Foto von Frau Willinger?«, fragte Katrin. »Wieso fragen Sie?«, fragte die Frau. »Ein Foto vielleicht nur mit Lippen?«, fragte Katrin.

Die Dame auf der anderen Seite der Leitung schwieg. Zugegeben, die Frage war nicht gerade eine solche, auf die man eine Antwort erwarten durfte. Katrin war aufgeregt. Sie stand möglicherweise knapp vor der Sprengung eines syndikat-, kartell- oder sektenmäßig, aber bestimmt durch und durch mafiös aufgezogenen internationalen illegalen, schwer organisierten und mindestens genauso verbrecherischen Schwarzmarkt-Lippenfoto-Schmuggel-und-Geldwäsche-Ringes. Patin: Paula Stein, Pate: Max. Patenhund: Kurt. Er schlief gerade.

»Kennen Sie Max?«, fragte Katrin in die Stille der Telefonleitung. »Wenn wir den gleichen Max meinen, dann kenne ich ihn«, gestand die Frau und fragte: »Sind Sie Katrin?« – »Ja«, sagte Katrin und hielt sich mit beiden Händen am Telefonhörer fest. »Ich glaube, wir beide sollten miteinander reden«, meinte die Frau.

23. Dezember

Auf diesen Sonntag hatte Max nicht gewartet. Sie empfingen einander zu Mittag im Bett. Der Sonntag hatte sich weder in Form von Licht noch von Geräuschen noch von Gerüchen angekündigt. Er war so still und nichts sagend ins Schlafzimmer geschlichen und hatte es dort auf so verdächtig unauffällige Weise vermieden, erste Eindrücke zu hinterlassen, dass Max nicht mehr anders konnte, als aufzuwachen. Der Sonntag reagierte darauf betont gelassen: nicht. So blieben sie vorerst beide im Bett und taten, als würden sie einander nicht bemerken.

Max beschloss spontan, wieder einzuschlafen. Bedingung dafür war, dass er an nichts dachte, was ihn wach halten konnte. Nicht an Kurt, der nicht unter seinem Sessel lag und schlief. Nicht an Weihnachten, das gar nicht notwendig gewesen wäre, um Max das Gefühl zu geben, er würde nichts versäumen. Nicht an den Urlaub, der den Aufwand (des Kofferpackens, Zum-Flughafen-Fahrens, des Abhebens, Landens, Dunstens, Kofferauspackens, Mit-Sonnencreme-Einschmierens, Schwitzens, Abkühlens, Schwitzens, Koffereinpackens, Schwitzens, Dunstens, Abhebens, Landens, Frierens) nicht wert sein konnte. Nicht an die … nein, bitte nur nicht an Sissis Lippen! In welchen Wahnsinn hatte er sich da von Heilpraktikerin Paula treiben lassen!

Nicht an Katrin! Er durfte jetzt auf keinen Fall an sie denken. Er lag auf dem Rücken. Sie lag neben ihm, verschwand wieder, lag wieder neben ihm. Sie funkelte ihn vorwurfgeschossartig an und tippte mit dem rechten Nageleck des rechten kleinen Fingers auf das Foto. Nein, nicht daran denken! Sie legte sich auf ihn, sie erregte ihn. Nein. Er spürte jeden Punkt seines Körpers von ihrem berührt. Sie war mit ihm verschmolzen. Nein. Sie hob ihren Kopf. Ihre Haarspitzen streiften über seine Stirn und streuten elektrische Funken. Ihre mandelförmigen Augen waren weit offen. (Sie hatte doch mandelförmige Augen, oder?) Daraus sprühten Sternspritzer. Es waren Blicke, die sofort entschieden, was kommen musste. Nein. Sie küsste ihn. Er wehrte sich nicht. Er genoss es. Er öffnete die Augen. Sie küsste ihn mit … nein, bitte nicht … mit Sissis Lippen.

Er war hellwach. Es war der Sonntag vor seiner Abreise. Er musste sofort aufstehen. Er musste Katrin alles erklären.

Kurt legte seine Zunge auf Katrins Kinn und zog voll durch bis zu ihrem Haaransatz. Sie schrie zwar hysterisch: »Pfui, Kurt, du Sau!«, war aber wenigstens endlich bereit, seine Existenz wahrzunehmen und auf ihn einzugehen. Er hatte schon einige Zeit an ihrem Bett gestanden, ihr mit seinem Drahthaarschnauzbart die Wangen gerieben und mit seinen Pfoten die Schultern massiert. Er hatte dazu eunuchenhafte sibirische Kojotengesänge geträllert. Alles vergeblich. Im Schlaf wunderten sich die Menschen offenbar über gar nichts. Erst die Gesicht-Abschleckaktion griff. Katrin wirkte erfrischt und aufgemuntert und rannte sofort unter die Dusche.

Es war also der dritte Morgen mit einem völlig veränderten Kurt. Nach Nächten, die er bei Katrin verbracht hatte, war er stets wie ausgewechselt. Er, der notorische Schläfer, war … wie steigert man »hellwach«? Er ließ Katrin keine Sekunde Zeit darüber nachzudenken, warum er so war, wie er plötzlich war. Er gestaltete umgehend das Programm für die nächsten Stunden, Katrin war fest darin eingebunden.

Diesmal spielten sie: Zimmerpflanzen umtopfen. Küchengeräte ausräumen (Kurt) und wieder einräumen (Katrin). Sitzgarnitur überspringen und dabei am Überzug hängen bleiben (Kurt) beziehungsweise solche Sprünge gewaltsam zu verhindern versuchen (Katrin). Hells-Bells-Kappe unter dem Kasten verstecken, Szene vergessen, Hells-Bells-Kappe suchen, finden, anknurren und warten, bis sie freiwillig aus ihrem Versteck kommen würde. Das tat sie nicht: Knurren verstärken. Warten, bis Katrin die Nerven verlor und die Hells-Bells-Kappe aus dem Versteck hervorholte. Das war ein gutes Spiel, das spielten sie lange. Danach: »Nachbarn, wie lange kann ich bellen, damit ihr uns droht, die Polizei zu verständigen?« – Da spielte Katrin nicht mehr mit. Schließlich übersiedelten sie in den Esterhazypark. Dort wurden ein paar lahme Hunde weggeputzt, ein paar kleine Kinder umgeworfen und ein paar Parkbänke gedüngt. Dann konnte sich Kurt endlich einmal so richtig auslaufen.

Am Nachmittag war Frau Stein bei Katrin zu Besuch. Am frühen Abend war Paula mit ihr befreundet. Am späten Abend ging sie. Es war Katrins längstes, schönstes, intensivstes Treffen mit Max. Sie beschloss, es zu verlängern. Sie rief ihn an und sagte, sie würde jetzt mit Kurt zu ihm kommen. Er schien nicht zu wissen, wer Kurt war. Er war unfähig, »Ja« zu sagen. Er musste nicht »Ja« sagen. Er musste kein Wort mehr sagen. Katrin war glücklich mit ihm. Es konnte fast nichts mehr passieren.

Sie kamen knapp vor Mitternacht. Kurt war ein anderer. Er war noch munter, als er eintrat. Es handelte sich zwar eindeutig bereits um Katrins Hund, denn er klebte an ihrem rechten Bein, zappelte ungeduldig mit den Hinterbeinen und wartete auf ihre Impulse, Anregungen oder gar Befehle. Aber er schielte ein paar Mal höflich zu ihm hinüber, er schien sich zu freuen, den guten alten Max wieder einmal von der Nähe zu sehen und trotz später Stunde in brauchbar guter Verfassung anzutreffen.

Max hatte Tee und Kaffee gemacht. Er hatte Sekt und Bier gekühlt und zwei Flaschen Rotwein geöffnet. Er hatte Kognak und Likör bereitgestellt. Die Wohnung war überflutet mit Mineralwasser, Apfel- und Orangensaft. Überall standen Gläser. Auf jeder noch so kleinen Abstellfläche lauerte Knabbergebäck. Alle Lichter in allen Zimmern waren aufgedreht und zusätzlich Dutzende Kerzen angezündet. Er hatte die Jalousien auf Halbmast gesetzt und jeden zweiten Vorhang zugezogen. Er hatte ein Klavierkonzert von Mozart aufgelegt, ein bekanntes, aber kein allzu berühmtes, eines im Zentrum der absoluten Unaufdringlichkeit. Es spielte in einer Lautstärke, in der Musik eine Woche lang spielen konnte, ohne dass auffiel, dass Musik spielte, sie aber sofort fehlte, wenn sie plötzlich verstummte.

Die Wohnung war in einem Zustand der gastgeberischen Perfektion, in der alle Vorbereitungen auf jemanden oder etwas getroffen waren, die getroffen werden konnten, wenn nicht klar war, wer oder was es war, der oder das eintreffen würde, und wie lange sie oder es bleiben würde, eine Minute, eine Nacht oder ein Leben lang.

Sie blieb schon einmal länger als eine Minute. Sie küsste ihn auf den Hals, legte ihren Kopf schräg unter sein Kinn und rastete in dieser Stellung ein. Er sagte: »Katrin, lass mich dir bitte etwas erklären.« Sie tastete mit ihrer rechten Hand nach seinem Mund und legte, als sie fündig geworden war, zwei oder drei Finger darauf. So verharrten sie, bis

Kurt versuchte, seine Langeweile abzuschütteln. Sie mussten ihm klarmachen, dass der Tag vorbei war. Sie bliesen alle Kerzen aus, drehten alle Lichter ab, brachten Mozart zum Verstummen und gingen ins Bett. Bis Mitternacht fiel kein Wort mehr. Und es gab keinen einzigen Kuss auf den Mund.

24. Dezember

Es war keine Nacht, in der man irgendwann wissen wollte, wie spät es war. Aber knapp vor 4 Uhr früh dürfte er eingeschlafen sein. Katrins Kopf hob und senkte sich gleichmäßig. Zartes Grollen kribbelte in ihrem Ohr. Darüber zog und pfiff es einen ziemlich befreiten Atemweg hinauf und hinunter. Angenehm, dass Max nicht schnarchte. Aber auch das wäre kein Trennungsgrund gewesen. Es gab keinen Trennungsgrund mehr.

Katrin war übrigens soeben dreißig Jahre alt geworden, wenn wer danach fragte. Es war vermutlich ihr erster Geburtstag, an dem sie sich freute, dass er gerade begonnen hatte, und nicht erst froh war, wenn er endlich vorbei war. – »Sich freute« war eine schamlose Untertreibung und eine Geringschätzung ihres seelischen Ausnahmezustandes. Katrin fühlte sich so gut, dass sie einen Weihnachtsbaum ausreißen, mehr noch: einen bereits abgeschnittenen kaufen, mit nach Hause nehmen und mit Lebkuchenengerln hätte schmücken können. Warum eigentlich nicht? Im Glück war kein Klischee verboten.

Ihr Kopfpolster lebte, war hart und behaart und roch nach Max: sein Brustkorb. Man sollte ein Parfüm daraus machen, dachte sie, nicht aus dem Brustkorb, aus dem Geruch. »Max« war ein guter Name für ein Parfüm. Max war überhaupt ein guter Name. Sie liebte ihn. Nein, man durfte kein Parfüm daraus machen. Der Geruch gehörte jetzt ihr allein. Sie hielt ihn umklammert (den Brustkorb) und hatte auf der Unterseite, also hinter seinem Rücken, die Finger beider Hände ineinander verkeilt. Das war eine geeignete Stellung zum Nie-mehr-Loslassen, wenn auch keine zum Einschlafen. Katrin brauchte keine Stellung zum Einschlafen. Sie musste nicht mehr schlafen. Sie wollte nicht mehr müde werden. Die Nacht war ihr zu wertvoll, um Wachsein und Bewusstsein zu vergeuden.

Um vier Uhr schlug die Wanduhr im Wohnzimmer vier Mal. Das löste eine Kurzserie von ferneren Gedanken aus: Sie hatte endgültig Vaters Waidmannsheil-Uhr vergessen. Sie hatte die Eltern insgesamt vergessen, vermutlich absichtlich. Waren sie noch böse? Hatten sie Aurelius adoptiert? Sollte sie sie einladen? Warum nicht heute? Warum nicht hierher? – Okay, wegen Max nicht hierher! Und vor allem wegen Kurt nicht hierher! – Kurt? Wo war eigentlich Kurt? Warum ließ er nichts von sich hören? Wohnte er nicht hier? Schlief er nicht hier?

Katrin brauchte etwa zehn Minuten, um ihre Hände von Max loszukriegen. Sie hatte plötzlich den Verdacht ihres Lebens (was Scharfsinn und Kombinationseingebung betraf) und ging ihm auf Zehenspitzen nach. Sie tastete sich die Wände entlang bis in die hintere Ecke des Wohnzimmers, wo das immer lauter werdende Ticken in die griechische Wanduhr überging. Dort drehte sie sich um. Und ihr Blick fiel auf … Ü-ber-ra-schung! Das musste Max selbst erleben. Katrin war mit sich zufrieden. Innerhalb weniger Stunden hatten sich für sie zwei existentielle Rätsel von selbst gelöst, ein Kuss- und ein Schlafrätsel.

»Katrin, ich muss dir die Sache mit dem Foto erklären«, flüsterte Max irgendwann am Morgen. Es war kein Morgen, an dem man wissen wollte, wann irgendwann war. »Wann geht dein Flug?«, erwiderte Katrin. Das war ihr viel wichtiger. »Wie lange kannst du bleiben?«, fragte Max. Das war ihm viel wichtiger. »Ich habe heute Geburtstag«, erwiderte Katrin. »Wirklich?«, fragte er. »Dreißig«, erwiderte sie rund. »Das gibt's nicht! Das müssen wir feiern«, sagte er. »Was wünschst du dir?« – »Dich«, erwiderte sie. »Nicht lieber etwas, was du noch nicht hast?«, fragte er. Sie lagen jetzt wie Zwiebelringe ineinander. Er war der äußere, sie der innere Zwiebelring.

»Ich habe ein Problem mit dem Küssen«, sagte Max. »Macht nichts«, erwiderte Katrin. »Küssen ist ohnehin langweilig, immer das Gleiche.« – »Mein Flug geht erst, wenn du weggegangen bist«, antwortete er. »Wann gehe ich weg?«, fragte sie. »Wann du willst«, erwiderte er. »Dann nie«, sagte sie. »Dann geht der Flug nie«, erwiderte er. »Heißt das …?«, fragte sie. »Urlaube sind ohnehin langweilig, immer das Gleiche«, erwiderte Max. Dann schälte sich die innere Zwiebelschale von der äußeren, drehte sich um und schmiegte sich wieder an. Nun klebten sie Innenseite an Innenseite und ließen dabei ein paar Stunden vergehen.

Wenn man verliebt ist, macht man die irrsten Sachen. Man lässt zum Beispiel eine Flugreise auf die Malediven verfallen und kauft stattdessen einen Christbaum.

Es war ihre erste gemeinsame Anschaffung und sie freuten sich wie über ein schnellgeborenes Wunschkind. Kurt wählte. Die Bäume, die er markierte, schieden aus. Eine dänische Fichte blieb übrig. Kurt hatte übrigens wieder zu seiner Grundbefindlichkeit, zum gefestigten Halbschlaf, zurückgefunden. Katrin wusste, warum.

Dieser 24. Dezember war schon immer wieder ein sonderbarer Tag. Menschen, die das ganze Jahr über keinen Mund hatten, lachten plötzlich. Die keine Stimme hatten, wünschten »Frohe Weihnachten«. Die keine Hände hatten, schüttelten einander welche. Die keine Augen hatten, zwinkerten einander gütig zu. Die keine Ohren hatten, zogen sich aus dem nächstbesten Warenhaus-Lautsprecher »Last Christmas« hinein. Die das Haus nie verließen, weil ihnen die Umwelt zu eng und der Gestank zu groß war, standen verklärten Gemütes im dichten Gedränge übervölkerter Festtagsabteilungen, zogen glitschige Kabeljaufilets aus muffigen Vitrinen an Land und liebten ihre Nächsten, die genauso taten wie sie.

Max stellte daheim den Baum auf und bewarf ihn mit Lametta. Katrin telefonierte inzwischen. Es waren wichtige, dringliche, geheime Telefonate. Sie schien etwas zu planen. Danach setzten sie sich auf die orangerote Ledercouch. Danach legten sie sich auf die orangerote Ledercouch. Danach kippten sie von der orangeroten Ledercouch auf den Parkettboden. Danach übersiedelten sie ins Bett. Es gab keinen Kuss. Es gab auch keine Nachfrage nach einem Kuss. Max war ein bisschen irritiert. So konnte die Geschichte nicht ausgehen. So kuss- und wortlos leider nicht.

Am Nachmittag waren die Schulmeister-Hofmeisters zu Besuch geladen. Das kam für alle Beteiligten überraschend (außer für Kurt). Katrin wollte ihre Eltern spontan für immer glücklich machen. Max hatte Lust auf die Illusion von Schwiegersohn. Er hatte für die Glaubwürdigkeit dieser Rolle einen Birnenweihnachtsgeburtstagskuchen zubereitet und mit dreißig Kerzen ausgestattet. Kurt lag unter seinem Sessel und schlief. Sie nahmen ihn an den Beinen und trugen ihn unter den Weihnachtsbaum. Dort schlief er weiter. Das wirkte feierlich.

Katrins Eltern kamen pünktlich um drei. Hugo Boss junior war diesmal nicht dabei. Vermutlich fehlte ihm das passende Sakko. In Ernestine Schulmeisters Nasenlöchern steckte ein süßsaures Lächeln, als sie sich von Max die Hand überreichen ließ. »Das ist mein neuer Freund«, dolmetschte Katrin. – Das Säuerliche wich nun rasch aus Schulmeisters Nasenlöchern, ihre Tränensäcke vibrierten und ihre Stimmbänder erzitterten ein huldigendes »Goldschatz!« Vermutlich dachte sie an die bevorstehende Neujahrshochzeit und an fünf Enkelkinder, die der »neue Freund« schon so gut wie gezeugt haben musste.

Rudolf Hofmeister steuerte mit einem warmen »So-und-jetzt-reden-wir-beide-einmal-über-Sportautos«-Blick auf Max zu und klopfte eine seiner Schultern weich. »Ich muss mich für das Benehmen meines Hundes vor einigen Tagen bei Ihnen entschuldigen«, sagte Max im bemühten Oxford-Englisch mit deutschen Untertiteln. »Wissen Sie, normalerweise schläft er.« Zum Beweis deutete er auf das regungslose Drahthaarbündel unter dem Christbaum. Herr Hofmeister hielt sich sicherheitshalber die Hand vor die Augen.

Der Kuchen kam gut an. »Die Birnen haben einen sehr ... erfrischenden Geschmack«, meinte Katrins Mutter. »Ich finde, sie schmecken nach gar nichts«, meinte Katrin. »Ein Birnenkuchen soll ja auch nicht nach Birnen, sondern nach Kuchen schmecken, denn wer Obst essen will, der soll Obst essen, der braucht keinen Kuchen dazu«, verriet Max seine Philosophie. Alle gaben ihm Recht. »Der Mann macht Nägel mit Köpfen«, lobte Katrins Vater.

Danach gab es ein paar Geschenke. Der Vater wurde jagduhrenmäßig auf Jänner vertröstet. Max war noch nicht ins Programm aufgenommen worden. Mutter bekam das mittelrosa Nachthemd. »Goldschatz, ich hab doch schon zwei rosa Nachthemden«, sagte sie in Form einer kleinen Fußnote zu ihrer prächtig inszenierten Freude. »Nachthemden kann man gar nicht genug haben«, meinte der Vater.

Katrin bekam von ihren Eltern eine komplette Theaterausrüstung, bestehend aus Theaterhandtasche (umtauschen), Theaterhandschuhen (behalten), Theaterbluse (weiterschenken), Theaterkleid (spenden), Theaterschuhen (umtauschen) und Theater-in-der-Josefstadt-Abonnement. Es waren die teuersten Plätze für die zehn besten Vorstellungen des kommenden Jahres. »Soll ich dort alleine hingehen?«, fragte Katrin. »Nein, Goldschatz, Aurelius hat die Plätze neben dir.« Es entstand eine unangenehme Sprechpause. »Vielleicht kann ihm der Herr Max die Karten abkaufen«, schlug der Vater vor. Max nickte.

»Ich will nicht unhöflich sein«, sagte Katrin. – Aber die Eltern mussten gehen, und zwar sofort. Sie flüsterte ihnen den Grund dafür ins Ohr. Max schrieb der Mutter das Rezept für den Birnenkuchen auf. Dafür hätte er von nun an vermutlich Mama zu ihr sagen dürfen. Vater Hofmeister, auch bereits zum Papa gereift, nahm ihn an beiden Schultern, rüttelte ihn kräftig durch und warf ihm einen abschließenden »Aber-das-nächste-Mal-reden-wir-beide-verlässlich-über-Sportautos«-Blick zu.

Zwei Überraschungen fehlten noch. Katrin bat Max, für zehn Minuten die Wohnung zu verlassen. Er durfte nicht fragen, warum. Und er sollte danach auf keinen Fall etwas Besonderes erwarten, hieß es. Kurt schloss sich ihm an, nicht, weil ihm langweilig war, sondern weil er musste. Sie machten das Beste daraus und gingen Gassi.

Als sie zurückkehrten, durfte sich Kurt wieder mit sich beschäftigen. Er durfte sich unter seinen Sessel legen. Es war ein guter Sessel. Er akupunktierte seinen Rücken nicht mit dänischen Fichtennadeln, wenn sie einander berührten.

Max musste im Vorraum die Augen schließen. Nein, das genügte nicht. Er musste sich die Augen mit einem Tuch verbinden lassen. Es gab einen guten Grund, warum er es tat, ohne nach dem Sinn zu fragen: Katrin. Wenn sie es gewünscht hätte, wäre er auch auf allen vieren durch den Esterhazypark gekrochen, ohne nach dem Sinn zu fragen. Katrin war für ihn Sinn genug.

Sie nahm ihn an der Hand und führte ihn ins Wohnzimmer, wo Mozart sein Konzert vom Vorabend wiederholte, allerdings in etwas größerer Lautstärke. In der Mitte des Raumes blieben sie stehen. »Was jetzt?«, fragte er. »Küss mich, Max«, sagte sie. »Muss das sein?«, fragte er. Lieber wäre er auf allen vieren durch den Esterhazypark gekrochen. »Ich weiß, dass es dir schwerfällt, aber ich wünsche es mir so sehr«, sagte sie. »Versuch es doch wenigstens.« – »Wozu die Augenbinde?«, fragte er. »Bitte küss mich!«, erwiderte sie. Das klang nach letzten Worten vor dem Verdursten. Er musste es rasch tun.

Er spürte ihre Hände um seine Hüften. Er spürte einen warmen Luftzug von unten. Er beugte sich zu ihr. Er griff nach ihren Wangen, fühlte ihre Lippen an seinen, spürte ihre Zunge in seinem Mund. Sie war zart und wendig und schmeckte nach Birnenkuchen. Birnenkuchen schmeckte nach nichts, das war erfreulich. Und eine schönere Frau hatte er noch nie geküsst und würde er nie wieder küssen. Das war ein zusätzlicher Trost. Er war bis in die Kuppen der beiden kleinsten Zehen in sie verliebt. Das brach seinen letzten Widerstand.

Es war ein langer Kuss, der ein paar Mal abrupt unterbrochen wurde. Zunächst hatte Max eher harmlose Übelkeitsanfälle. Die fette Sissi tauchte sporadisch auf, hielt sich aber zum Glück recht verschwommen im Hintergrund. Sie konnte sich vom schärferen Bild der erwachsenen Lisbeth kaum noch abheben. Dazu zeichnete Max in Gedanken die Fotolippen nach. Dabei schoss ihm die Blamage des Erwischtwordenseins in den Sinn. Warum hatte Katrin noch nicht danach gefragt? Warum wusste sie überhaupt, dass es ihm schwer fiel zu küssen? Warum hatte sie so lange auf den Kuss gewartet? Mit solchen Überlegungen ließ sich kostbare Zeit gewinnen.

Anfangs gab es Phasen, da ihm der Kuss gefiel. Er spürte dabei Katrins Körper, inhalierte ihre Gerüche, erinnerte sich an die letzte Nacht, freute sich auf die nächste und auf die übernächste und auf jede weitere. Irgendwann nahm sie seine Hände von ihrem Hals. Und auch ihr Körper berührte an keinem Punkt mehr seinen. Sie waren nur noch durch den Kuss verbunden, aber auch ihre Zunge begann sich von seiner zu lösen.

Plötzlich schien sich Katrin vollständig von ihm zurückgezogen zu haben. Er spürte und roch sie nicht mehr. Er hörte sie auch nicht, dazu klopfte Mozart zu dominant in die Tasten des Interpreten. Der Kuss hinterließ die Leere des Entzugs und wirkte übel nach. Max hatte Probleme, die Konturen der hämisch grinsenden fetten Sissi zu verwischen. »Katrin?«, fragte er und begann nach ihr zu tasten. »Ich bin bei dir«, flüsterte sie ihm ins Ohr. Sie musste neben ihm gestanden haben.

Die Lippen, die er nun wieder an seinen spürte, erlösten ihn vom einsetzenden Kindheitstrauma. Katrin küsste jetzt mit vollerem Mund. Ihre Zunge war breiter und raumgreifender. Der Geruch war ein anderer, ein süßlicherer, und der Geschmack – der kam ihm auf seltsame Weise fremd und doch bekannt vor. Katrins Finger waren jetzt dicker und kühler und krochen von seinen Wangen behäbig die Schläfen hinauf, schlüpften unter die Augenbinde und schoben diese langsam zum Kopfscheitel empor.

Max verspürte ein Gefühl des Unbehagens. Es war nicht die physische Übelkeit, die er kannte, aber es hatte den gleichen Ursprung. Es begleitete ihn zu seinen schlimmsten Albträumen zurück, erinnerte ihn an das ständig wiederkehrende grauenhafte Erlebnis. So nah wie jetzt war er ihm noch nie gekommen. Der Brechreiz war ausgeblieben, zu viele stärkere Eindrücke blockierten sein Gehirn.

Seine Augen waren jetzt frei. Eine schlimme Vorahnung ließ ihn sie noch eine Weile geschlossen halten. Dann öffnete er sie einen Spalt und sah … Das waren keine mandelförmigen Augen. Katrin hatte doch mandelförmige Augen, oder? Sie hatte keine blond gesträhnten Haare, kein breites Gesicht, keine gedrungene Nase.

Die Frau war nicht Katrin. Sie war eine andere, eine fremde. Sie drückte ihn fest an sich und küsste gierig und stürmisch. Max war zu geschockt, um sich sofort von ihr abzustoßen. Katrin stand neben ihm. Sie legte ihm ihre Hand auf die Schulter. Und dahinter, die Medizinfrau, das war Paula. Ihre Augen leuchteten. Sie hatte Regie geführt, das wusste Max sofort. Was war das für ein Spiel? Machten sie sich einen Spaß mit ihm? Nein, dazu trugen sie zu ernste Mienen.

Der Kuss ging mit einem Schnalzgeräusch aus ihrem Mund zu Ende. Max war zu verblüfft, um Ekel zu verspüren. Die Frau war nicht fremd. Er hatte sie schon einmal gesehen. Sie hatte … diese Lippen, die gleichen Lippen. Es waren die Lippen zu dem Foto. Das Foto zu … Er hatte sie schon einmal geküsst.

»Lisbeth Willinger, sehr erfreut«, sagte sie und wischte sich, wie nach beendeter Mahlzeit, den Mund mit dem Handrücken ab. »Bravo Max«, rief Paula kühl wie die Chefchirurgin nach einem gelungenen Eingriff und klatschte in die Hände. Katrin umarmte ihn. Sie nahm seinen Kopf wie eine Mutter, dessen Kind sich eine schlimme Beule geholt hatte.

»Sehen Sie, er hat's gar nicht gemerkt!«, jubilierte Lisbeth Willinger. »Und damit habe ich mir tatsächlich den Flug verdient?«, fragte sie. »Das finde ich großartig, so etwas ist mir noch nie passiert. Dabei hat es mir Spaß gemacht, ehrlich! Was glauben Sie, wenn das mein Mann erfährt! Wo sind die Malediven? Wie viele Stunden habe ich noch? Wenn Sie wieder einmal jemanden brauchen …« – Paula brachte sie zur Tür.

Kurt lag unter seinem Sessel und tat so, als würde er schlafen. Es war spät genug, um ans Wachsein zu denken. Er wartete, bis die Lichter ausgingen. Er wartete, bis Max im Bett lag. Er wartete – und das war neu –, bis Max und Katrin im Bett lagen. Er musste – und das war neu – länger warten als sonst. Es war – und das war neu – nicht sofort ruhig im Bett. Aber die Geräusche störten ihn nicht. Sie hinderten ihn nicht zu tun, was zu tun war. Sie würden irgendwann verstummen. Dann hatte er den Rest der Dunkelheit für sich, wie immer.

Er tat es vermutlich, seit es ihn gab. Er hatte die Nächte nicht gezählt, die er durchgemacht hatte, die er »davor« verbracht hatte. Langweilig? Niemals. Einschläfernd? Keinesfalls. Es war eine Spannung, die nicht nachließ. Ein Warten, das stets belohnt wurde, regelmäßig, pünktlich auf die Minute. Wer wollte Kurt erzählen, wie lange eine Stunde dauerte? Niemand auf der Welt konnte besser als er wissen, wann sie sich anschickte zu schlagen.

Er kroch unter seinem Sessel hervor, setzte sich auf die Hinterpfoten und wartete. Es war die schönste Haltung, die er einnehmen konnte. Hundezüchter würden feine Preise dafür hergeben. Andere Deutsch-Drahthaar-Rüden schafften ein so vorbildlich hohles Kreuz nicht einmal in Aussicht auf eine Doppelportion Boeuf Stroganoff. Kurt hatte edlere Motive. Er saß da und erbettelte die nächste Stunde. Er tat es stündlich, immer wieder aufs Neue, Nacht für Nacht.

Plötzlich, aus dem Nichts heraus, knirschte die Wand, dann ging die Tür auf und dann traten sie heraus, seine fünf kretischen Freunde, seine Landsleute. Da erschrak er, wie immer. Es war, wenn die Ruhe punktgenau in die Gewissheit überging, dass geschehen musste, was zu geschehen hatte, weil Kurt da war, um dem Schauspiel beizuwohnen, um die Zeremonie abzusegnen, um der Wanduhr die Zeit abzunehmen.

Die Helden freuten sich, wie immer, dass Kurt für sie da war. Sie begrüßten ihn mit ihren Folgetonhörnern. Er munterte sie mit einem angedeuteten Flüstergebell auf. Sie drehten sich dreimal im Kreis, schlugen dreimal auf ihre Trommeln, verabschiedeten sich und schritten zurück in ihr Uhrengehäuse. Er schickte ihnen ein paar abgedämpfte Winselsequenzen nach.

Etwa eine halbe Stunde stand er mit weit geöffneten würfelförmigen Augen im Banne dieses Ereignisses und versuchte es zu verarbeiten. Dann war es an der Zeit, sich auf den nächsten Termin zu konzentrieren. Er wusste: Die sympathischen Griechen würden wiederkommen, sie würden sich viermal im Kreise drehen und würden viermal auf ihre Trommeln schlagen.

Erst wenn es draußen hell wurde, wenn im Schlafzimmer der Wecker rasselte, wenn Max seine ersten Geräusche von sich gab, wenn – und das war neu – Max und Katrin ihre ersten Geräusche von sich gaben, war Kurt seiner Aufgabe als Nachtwächter der griechischen Wanduhr und Chefkoordinator der nächtlichen Stunden enthoben. Dann legte er sich unter seinen Sessel und schlief.